プル
レッド
が
出会ったら
Let's Party Book
スーパー戦隊MOVIEパーティー
レッツパーティーブック
GSPO
TACTICAL UNIT

PINRANGER VS PATRANGER GRAPHICS

すべてはここから始まった――。

「聞いてるぞ、
全然水浴びしてないって。
たまにはほら！」

INTRODUCTION: RYUSOULGER VS LU

GSPO
TACTICAL UNIT
「動くな！
国際警察だ！」

「ほう、筋がいいな。
これも預けておく」

「返してくれないなら仕方がない。
……助けてもらったけど！」
「まあまあ。こんなもん持ってると、
面倒くさいおまわりさんに捕まっちゃうよ。」

「スーパールパン
イエローでーす！」
「わあ、それもいいなあ！」

「通りすがりの料理人だ」
「じゃあ私は通りすがりの専門学生ってことで」

「よかったら
お茶でもどうだろう？」
「なんて
積極的な女性なんだ！」

「アルセーヌに倣って
僕たちもアイテム交換といこう」

「答える
必要はない」

「シッ、おにーさん。
俺まだ警察に
追われてる身なんで」

「……わかっている」

「水が目に入るのが怖くて、
それを見られるのが
恥ずかしかったティラ」

「そんなの俺も
そうだったよ？」

「予告する」
見せてやる!」

騎士と快盗と警察と——
三位一体で地球の平和と仲間の絆を守り抜く!!

「国際警察の権限において!」

「俺たちの騎士道、

世界の平和を守る
朝加圭一郎
×
全てをあきらめない
コウ

己の誓いを貫く

夜野魁利

異なる三つの正義がぶつかって見い出した絆とは。

G.S.P.O and KNIGHT and Phantom Thief

ルパパトとの共演はいい意味で予想通りの組み合わせが多かったんですが、思わぬ化学変化が起きていて本当に面白いなと思いました。（一ノ瀬）

RYUSOULGER RED INTERVIEW

一ノ瀬 颯

[コウ／リュウソウレッド役]

1年にわたる激闘を終え、新たな後輩へのバトンタッチを果たした騎士竜戦隊リュウソウジャー。
その主軸となるコウ／リュウソウレッドを演じた一ノ瀬颯が、
先輩レッドとの共演を果たした劇場版を振り返りつつ、現在の心境を語る！

取材・構成◎山田幸彦

先輩との共演の中で

——映画『騎士竜戦隊リュウソウジャーVSルパンレンジャーVSパトレンジャー』の台本を読まれて、最初にどんな印象を持たれましたか？

一ノ瀬　まず、『ルパパト』の武器の設定を知らなかったので、「これは何!?」というところからでしたね。ダイヤルファイターで金庫を開けるとか、金色の金庫を開けるには2個のダイヤルファイターが必要とか、システムを理解するのに必死でした(笑)。でも、『リュウソウジャー』にも騎士竜の設定がありますし、ルパパトのみなさんもそんな感じだったのかなって。

——今回はテレビシリーズのときのコウよりも、Gロッソなどステージでのお芝居に近い印象を受けました。

一ノ瀬　テレビの後半もそうですが、夏の劇場版『騎士竜戦隊リュウソウジャー THE MOVIE タイムスリップ！恐竜パニック!!』もシリアスな感じだったので、それと比べるとだいぶ子供っぽく見えるところがありますね。ルパパトのメンバーはみんな大人っぽくて、作品が終わってから約1年を経てキャラクター的に落ち着いてる感じがあるので、よりコウの純粋で元気な部分が引き立つ部分があるのかなと。

——今回は、騎士竜も含めた仲間たちとの絆を再確認するエピソードになっていますが、冒頭のティラミーゴとのケンカなどは、特にコウの子供っぽい部分が出ていたように思います。

一ノ瀬　あのくだりは、どのくらい怒るかの加減を渡辺(勝也)監督から任されていたんですよね。僕の芝居に合わせて、現場ではティラミーゴを演じているおぐら(としひろ)さん、アフレコでは声を当てているてらそま(まさき)さんが対応してくださる形でした。それで、ホントに些細なケンカに見えたほうがいいと思ったので、子供っぽく「ふん！」って言ってみたんです。だからこそ、そのあとで離ればなれになってしまったことの悲しさが際立つかなと思って。

——大切な人たちを決死の思いで取り戻したルパンレンジャーと、使命のためには犠牲も必要と考えるリュウソウジャーの対比が印象的でした。

一ノ瀬　リュウソウジャーは、それぞれにとって大事なマスターたちが使命を託したまま還らぬ人になっているので取り戻すことはできないし、そういうところがルパパトのみんなと違うんですよね。まあ、コウはちょっと覚悟が決まってなくて、みんなに迷惑をかけたりしますけど(笑)。

——公のために戦うパトレンジャー、私欲のために戦うルパンレンジャーと、どちらも取りたいリュウソウジャーを書きたかったと、脚本家のお2人(香村純子、荒川稔久)と渡辺監督の鼎談でうかがいました。

一ノ瀬　コウは「AかBを選べ！」と言われたら、「どっちも！」っていうタイプなんです。それはこれまでにもテレビ本編でも描かれていて、今回もそういう部分は出ていますよね。

——そんな、ある意味聞き分けがないとも言える振る舞いをしても嫌味がないキャラクターですよね、コウは。

一ノ瀬　それでもみんなを付いてこさせる力があるところにコウの魅力が詰まっていると思います。理論派のメルトやバンバに対しても、理論だけじゃない何かで納得させて、「こいつに付いていけば大丈夫かもしれない……」と思わせちゃうというか。そこは、夏の劇場版と今回の作品で似ているところかもしれません。

——他のリュウソウメンバー、そしてルパパトのメンバーとの共演についてはいかがでしたか？

一ノ瀬　僕は(伊藤)あさひくんとの共演がメインでしたが、他の人に関しても、この組み合わせは上手くやっていけそうとか、ケンカになるとか、いい意味で予想通りの組み合わせが多かったんですよね。ただ、実際に会うと思わぬ化学変化が起きていて、本当に面白いなと思いました。特にカナロとつかさ先輩とか(笑)。

——今回の映画の情報が出る前から、「VSでは求婚するだろう」とファンの方々は予想していたようです(笑)。

一ノ瀬　あれは観ていて気持ちいいですよね。カナロといえばこれだー！って(笑)。あとは、咲也さんとトワの取り調べのシーンもよかったです。トワの生意気な感じだけど可愛らしい面がよく出ていて。

——伊藤あさひさんは一ノ瀬さんにとって事務所の先輩ですが、『リュウソウジャー』の撮影に入られる前、コウを演じるにあたってアドバイスをもらったこともあったのでしょうか？

一ノ瀬　あさひくんからは、体調に気を付けたほうがいいとか、遅刻はしないようにとか、あとは「自分を試す1年になるよ」とは言わ

れましたね。それは今でも心に残っています。

『リュウソウジャー』のフィナーレ

――テレビシリーズが終了し、今回の映画も公開を迎えられた、現在の心境はいかがですか？

一ノ瀬　1月はシアターGロッソ(騎士竜戦隊リュウソウジャーショー シリーズ 第4弾特別公演『ソウルをひとつに！解き放て新たなる騎士竜!!』)の出演に加えて、Blu-ray の特典映像やキャラソン(CD「騎士竜戦隊リュウソウジャー キャラクターソングアルバム」収録)のレコーディングもあって、みんなに会う機会も多かったんです。

――2月から3月半ばも、またGロッソの素顔の戦士公演(騎士竜戦隊リュウソウジャーショー シリーズ第5弾特別公演『Gロッソ、最後の戦い！これが俺たちの騎士道だ!!』)ですしね。

一ノ瀬　だから、今はまだそんなに終わったという実感も湧いてないです。でも、これからロスが来るのかなって。

――3月20日からスタートの「騎士竜戦隊リュウソウジャー ファイナルライブツアー2020」については？

一ノ瀬　夏映画の地方キャンペーンとかで各地に行かせてもらったときは、壇上でお話してすぐに別の場所に移動して……という感じで、現地を堪能する時間がなかったんです。でもファイナルライブツアーは、それとはまた違う感覚だと思うので、そこはぜひ楽しみたいなと。みなさんとお会いできるのも最後になりますしね。

――Gロッソの特別公演にファイナルライブツアーと、ファンの方々に会って熱気を直に感じられる機会が増えていますよね。

一ノ瀬　そうですね。撮影中もテレ朝夏祭りや映画の舞台挨拶で熱気を感じていたんですが、Gロッソはなんといっても小さい子供たちの「頑張れー！」という声援が飛んでくるのがいいですよね。大きな声でみんなの気持ちが届いてくると本当に嬉しくて、ジーンときちゃいます(笑)。

――第4弾特別公演では、ドルイドンにウイルスを浴びせられて悪くなってしまってたじゃないですか。あの場面では、一ノ瀬さんの熱演ぶりに客席の子供たちが泣いていたようで……(笑)。

一ノ瀬　今まで明るいコウを演じてきてたので、違うこともできるんだぞ、というのを見せたい気持ちもあったんです。それで、普段のコウから一気に悪に振ってみたんですが、お子さんたちが泣き過ぎちゃって、バンバに「子供が泣いちゃったじゃないか！」ってツコまれてしまいました……(笑)。

――レッドはメンバーの座長的ポジションになるかと思うのですが、一ノ瀬さんとしても意識される部分はありますか？

一ノ瀬　確かに、それは人から言われることもありますね。なので、いつも周りに支えられてこその僕ではありますが、座長としての自覚をしっかり持たないといけないと思っております。Gロッソでの練習中にみんなで失敗しちゃったときは、僕が代表して謝るとか。でも、あくまでこれまでやって来た、メンバーの空気感はそのまま大切に、気負いすぎたりはしないようにしています(笑)。

1年間向き合ったコウという役

――現在の『リュウソウジャー』チームの雰囲気はいかがですか？

一ノ瀬　最初の5人はずっと仲がいいし、カナロもすぐに溶け込んだし、今ではイベントとかでトークをするときに、自分たちも楽しみながらみんなも楽しませよう！という空気が出来上がっていますね。Twitter などで「面白かった！」という感想を見かけると、やってよかったなと思うと同時に、仲がいいからここまでできるようになったんだな、と感じます。あとは最近、『(魔進戦隊)キラメイジャー』の予告映像とかを観て、「あぁ、1年経ったんだなぁ……」って、しみじみしちゃうこともあったりして。

――キラメイジャーの方々との交流はあるのでしょうか？

一ノ瀬　映画の撮影ではアフレコでキラメイレッドの小宮(璃央)くんに会ったくらいだったんですが、先日の「超英雄祭(KAMEN RIDER × SUPER SENTAI LIVE & SHOW 2020)」(1月22日、横浜スーパーアリーナで開催)で全員と絡ませてもらったんですよ。で、基本、リュウソウメンバーは馴れ馴れしいので、あっという間に仲よくなれたかなと……(笑)。

――スーツアクターの伊藤茂騎さんが、『リュウソウジャー』に引き続き、『キラメイジャー』でもレッドを担当されることになりましたね。

一ノ瀬　そうなんですよ！　基本、スーツアクターの方が変身前の役者の吹き替えもやるので、今はシゲさんが小宮くんに合わせて髪を少し茶色に染めてるんですよね。そうやって別の番組に行ってしまうのが寂しくて、会うたびに「シゲさん、キラめいてるわ〜」ってイジってます。僕、ヤキモチ焼きなので(笑)。

――そして、おそらく来年は先輩レッドとしてキラメイジャーと共演されることになるのかなと。

一ノ瀬　そうですね。来年の『VS』を今から楽しみにしています！

――あと、気の早すぎる話ではありますが、スーパー戦隊シリーズには10年後を描く「10 YEARS AFTER」という企画も作品によってはあったりして……。

一ノ瀬　それ、すごく出たいんです！『リュウソウジャー』は僕らにとってスタートラインの作品だし、みんなでまた集まってリュウソウジャーをやらせてもらえたら嬉しいです。1年間一緒にやる仲間ってなかなか作ることが難しいですし、だからこそ久々に会ってもみんな仲よくやれるんじゃないかなって。コウという役も1年間向き合うことで大好きな存在になりました。これからもファンのみなさんに愛してもらえたら嬉しいですし、自分自身でも大事にしていきたいので、いつかまた機会があれば、ぜひコウ演じさせていただきたいです！

先輩として、リュウソウジャーのみんなを支える立場になれればいいなと思って臨みました。（伊藤）

前よりギャングラーも減って、
圭一郎が怒鳴らなくてもいい世界になってきていると思って演じました。(結木)

GSPO
TACTICAL UNIT

TACTICALUNIT

LUPINRANGER VS PATRANGER W RED CROSS TALK

伊藤あさひ×結木滉星

［夜野魁利／ルパンレッド役］　［朝加圭一郎／パトレン1号役］

今回、後輩スーパー戦隊との「VS」劇場版にて、久々のWレッド共演を果たした夜野魁利／ルパンレッド役・伊藤あさひと、朝加圭一郎／パトレン1号役・結木滉星。作品のことから2人の関係まで、時を経て変化したWレッドの現在に迫る！

取材・構成◎山田幸彦

大人になった魁利と圭一郎

—「VS」劇場版で久々にスーパー戦隊の現場へ帰ってこられたわけですが、いかがでしたか？

伊藤　去年のキュウレンジャーとの共演（『ルパンレンジャーVSパトレンジャーVSキュウレンジャー』）も楽しかったんですけど、今回はシリアスなストーリーの中、大人になった魁利を演じられて、新鮮な気持ちで臨むことができました。

—最初に台本を読まれた際の印象は？

伊藤　一度卒業して、他のお仕事を経てからスーパー戦隊に戻ると、台本に片仮名が多いなというのを最初に思いました（笑）。

結木　そういえばスーパー戦隊ってこうだったな、って思ったよね。

—今回は先輩ポジションでの出演ですが、同じスーパー戦隊の現場でも当時とは見え方が変わった部分も？

伊藤　1年間の経験があるから、久々に入っても安心感がある現場でしたね。今回は、いい意味で力みすぎず、先輩としてリュウソウジャーのみんなを支える立場になれればいいなと思っていました。

—だいぶ間が空きましたが、それぞれ魁利と圭一郎というキャラにはすんなり入れたのでしょうか？

伊藤　これまで積み上げてきたものがあったから、自分の中にある役を思い起こすだけでできたんですよね。そこは、模索するところではなかったです。

結木　僕は難しかったですね。忘れてしまっている部分もあって、「これで合ってるかな？」と探り探りな感じでした。思い出すために、テレビ本編を見返したりもしたんですよ。

—圭一郎は警察官のままですが、年月の経過を意識されている印象がありました。

結木　そうですね。前より立場的に偉くなってきてるだろうし、ギャングラーも減って前ほど圭一郎が怒鳴らなくてもいい世界になってきていると思って演じました。

—映像を観ても、2人とも落ち着きがありましたよね。

伊藤　渡辺（勝也）監督とは、「圭一郎と話しているときの魁利と、コウと話しているときの魁利は差をつけよう」という話をして。あとは、テレビで大切な人を取り戻した魁利たちが、騎士竜と離ればなれになりそうなコウたちをどう支えるのか、そこを大切にしようと思っていました。

—魁利が探偵をやっているという設定についてはいかがでしたか？

伊藤　あの最終回のあと、何をやってたか気になっていたので、答えが出たのはよかったですね。確かに探偵が一番向いてる……というか、他にやれることが実はないんじゃないかなとも思いました（笑）。

—劇中、つかさと透真のやりとりで、ルパンレンジャーとパトレンジャーは現場でしか顔を合わせないという現状が語られていましたが、魁利と圭一郎もそうなのでしょうか？

伊藤　そう思いますね。歩道橋でのシーンが久々だったんじゃないかなって。

結木　あぁー、でも僕は、この2人だけはちょいちょい顔を合わせてるような気もするんですよね。そこはご想像にお任せします（笑）。

—圭一郎と魁利の歩道橋の場面は、明らかにテレビシリーズを意識したシチュエーションで、ダブルレッドの絡みとして非常に印象的ですが、演技に際してお2人で打ち合わせなどされたのですか？

結木　現場では話してないんですよ。

伊藤　普段、一緒に遊びに行ってるときでも芝居の話はしないですもん（笑）。

結木　カメラ位置とかを確認するだけで、あとはドライにやってましたね。

伊藤　共演者の方にもよるんですが、基本的に他の現場でも僕はあまり芝居の話はしないんです。

結木　僕も喋り過ぎるのは苦手なんですよね。本番で全部出したいタイプなんだと思います。

—今回は、一緒の場面で絡むキャラクターがツボを押さえた組み合わせで、やりとりがとても面白かったですが、演じられる側としてはいかがでしたか？

伊藤　コウは、まさに僕が子供の頃に観ていたスーパー戦隊の「レッド」と呼ぶのにふさわしいレッドでした。コウとティラミーゴが戯れているのも『ルパパト』の世界にはなかった感覚があって、すごく新鮮でしたね。パトレンジャーはジム・カーターとの会話があったけど、ルパンレンジャーはそういうキャラクターとの会話がなかったですから。

結木　僕はバンバとのシーンがメインですけど、バンバは『リュウソウジャー』における圭一郎ポジションというか、彼もある種の堅物で似たもの同士なので、やっていて面白かったです。すごい睨み合いもあったりして（笑）。

――バンバたちが圭一郎に手錠をかけられた瞬間、彼らが『ルパパト』の世界に引き込まれた感じがありました(笑)。

結木　そうですね。圭一郎は、いつでも相手が合法か非合法か確認するところからなんですよ(笑)。『ルパンレンジャーVSパトレンジャーVSキュウレンジャー』のときもラッキーを取り調べしてたし、最終的には協力することになるとしても、そこはやっぱり警察として一番大事なところなんだろうなと思います。

――魁利は、コウを翻弄するお芝居もですが、事務所でのアクションシーンがなんといっても見せ場だったかなと。

伊藤　事務所でのアクションも、コウと2人で逃げ回るシーンも1日で撮ったんですよね。アクション監督の福沢(博文)さんが演出してくださったんですけど、アクションがめちゃくちゃ久々だったので、次の日に筋肉痛がすごかったです(笑)。

――それぞれパトレンジャー代表とルパンレンジャー代表として、久しぶりに顔を合わせた『ルパパト』メンバーの印象はいかがでしたか?

結木　みんな、芝居はあまり変わってなかったですね。

伊藤　でも、初美花は変わってたかな。

結木　お姉さんになってたね。

伊藤　実際のどぅー(工藤 遥)みたいになってた。劇中の初美花が成長した分、キャラがどぅーに近づいてきたのかな? みたいな。

結木　あとは髪型くらいかな?

――咲也はキャラクターも後輩キャラから頼れるお巡りさんになっていたし、演じる横山涼さんも短髪になって印象が変わっていたかなと。

伊藤　りょうちんは見た目もシュッとしましたからね。

――横山さんと言えば、国際警察の職員役で出演されたスーツアクターの大林 勝さんを「大林くん!」と呼ぶシーンが面白かったです。

結木　あのシーンは、現場で僕が「大林くん! って言えば?」って言ったんですよね。

――そうなんですか!?

伊藤　今回、知ってる人が見ると面白い小ネタが詰め込まれてますよね。エキストラとして『ルパパト』の怪人デザインを担当されていた久(正人)さんもいますし(笑)。

『ルパパト』は完全にやりきった!?

――昨年の「快盗戦隊ルパンレンジャーVS警察戦隊パトレンジャー ファイナルライブツアー2019」のお話もうかがいたいのですが、大阪で行われた千秋楽の際、最後に花束を手渡されるところで伊藤さんが涙するという一幕がありました。

伊藤　泣きましたね! だって、ルパンレッド役の浅井(宏輔)さんが来られるとは思わないじゃないですか。浅井さん、ズルいんですよ(笑)。今回の映画では変身バンクを新たに作ったので、僕たちがスーツでキャラクターを演じてブルーバックで撮影したんですけど、そのときも、これが最後になるからって、ルパンレッドの面(マスク)付けをしてくれようと浅井さんが駆けつけてくれたんです。来るってギリギリまで言ってくれないんですけどね。本当にいい人だなぁって思いました。

結木　FLTはパトレン1号の高田(将司)さんも来てくれるかもしれなかったんですけど、スケジュールが合わなかったのは残念でしたね。でも、打ち上げで高田さんと久々に話ができたのは嬉しかったです!

――『ルパパト』終了から少し時間が経ちますが、今でもお2人の交流はあるのでしょうか? 結木さんが伊藤さんからの食事のお誘いを断っているというエピソードもお見かけしましたけど(笑)。

伊藤　断られました(笑)。でも、最近はわりとよく会いますね。

結木　正確な時期はちょっと忘れちゃいましたけど、仕事で会う機会があって、そこからちょくちょく会うようになったんですよね。

――番組が終わる頃の取材で、「月イチで会いたい!」とおっしゃってた気が(笑)。

伊藤　会えてない!(笑)

結木　まあ……さすがに無理ですね(笑)。お互い忙しいので。

伊藤　2、3往復やりとりをして……みたいなのが、ちょくちょくある感じです。

結木　いざ出かけても、僕はひとつの場所にずっといるのが苦手なんですよ。

伊藤　アクティブだよね。

結木　で、最終的に温泉に行くんですよ。伊香保温泉のロケ(第30話)では入れなかったんですけど(笑)。

――例年のパターンを見ると、後輩と共演した今回の「VS」をもって、いよいよ『ルパパト』も終わりなのかなと思うのですが、もう一つの可能性として、これまでいくつかのスーパー戦隊で作られた「10YEARS AFTER」が残っているといえば残っていたりはしますね。

結木　『ルパパト』はテレビシリーズでやりきった感があるし、その後のことも今回の映画である程度描かれてしまった感じもするから、もしやるとなると脚本の香村(純子)さんが大変かもしれませんね(笑)。

伊藤　いっそのこと10年後じゃなくて20年後を描いて、ヒルトップ管理官みたいになってる圭一郎とか見たいよね。

――まさかの「20YEARS AFTER」!

(笑)

伊藤　圭一郎の部下に新生パトレンジャーがいそう(笑)。

結木　それで言うと、本当に別の人でパトレンジャーをやってほしいですよね。で、僕たちが異動になっていて、いいところで助けに来るとか(笑)。

――先ほど、結木さんが『ルパパト』は今回の映画も含めて、ほぼやりきったんじゃないか的なお話をされていましたが、伊藤さんとしてはいかがですか?

伊藤　僕的には、魁利がお兄ちゃんとどう付き合っているのかは気になりますね。今回は離れて暮らしていることしかわからなかったので。それこそ香村さんの中では、その辺りのこともちゃんと決まっているのかなと思うんですけど。

――では、『ルパパト』でやれることはまだあるということで……。

結木　みんなのスケジュールが合うようだったら、ぜひまた集まりたいですね。そんな日が来ることを楽しみにしています!

TACTICAL UNIT

RYUSOULGER VS LUPINRANGER VS PATRANGER TRIPLE RED CROSS TALK

一ノ瀬 颯×伊藤あさひ×結木滉星

［コウ／リュウソウレッド役］　［夜野魁利／ルパンレッド役］　［朝加圭一郎／パトレン1号役］

トリプルレッド揃い踏みグラビアの末尾を飾る鼎談で、
三者三様に『劇場版 騎士竜戦隊リュウソウジャーVSルパンレンジャーVSパトレンジャー』の共演を振り返る！

取材・構成◎山田幸彦

3人のレッドが銀幕で共演！

――『劇場版 騎士竜戦隊リュウソウジャーVSルパンレンジャーVSパトレンジャー』は、3チーム総勢12名のヒーローが入り乱れる見どころ満載の作品となりましたが、今回の共演でそれぞれ特にお気に入りの場面はどこでしょうか？

伊藤　魁利とコウ、魁利と圭一郎のシーンはあるんですけど、この3人共演のシーンって実はなくて（笑）。

結木　俺、ずっとバンバを取り調べしてたから、残念ながらコウとは絡んでないんだよね（笑）。

伊藤　確かに。

一ノ瀬　アフレコもバラバラでしたからね。ラストの全員の集合シーンは1日しか撮影できませんでしたが、それでもみなさんとご一緒できてよかったなって。

伊藤　今回の撮影、全部楽しかったです。コウとの2人のシーンは1日で撮ったので、やっぱりあっという間でしたし、楽しかったですけど大変でした。僕は久々にアクションをやったんですけど、台本を読んだ時点ではコウとああいう風にアクションを交えてやることになるとは思ってなくて。（実際台本上ではあのリュウソウケンを渡すくだりは2行ほど）なので、面白かったです。

――お互い「なかなかやるな」って感じもあったりするのでしょうか？

一ノ瀬　魁利は異色というか『リュウソウジャー』にいないキャラクターなので、誰に対しても陽気に話しかけるコウに魁利が調子を狂わされてるところや、リュウソウケンを持っていることを危ないものだと言われることも作中にはないんで、シンプルに面白かったです。作品を見てることはあってもなかなか一緒にやることはないので…貴重な経験だなと思いました。コウと魁利の共演シーンは僕も気に入ってます。

――夜の港の場面で魁利がコウを諭すところは、『ルパパト』のファン的にかつての魁利と圭一郎を思い起こさせる場面だったと思うのですが。

伊藤　僕が魁利として声をかけるほうの立場になるというのはなかなかないことだったので、コウみたいな人柄のキャラクターにどういうふうに接したらいいのかなって思いながら演じましたね。そこで、圭一郎との場面の差を出したかったので。

――具体的には、どういう形でその差を出されたのでしょうか？

伊藤　圭一郎とだったら、打ち解けたあとだったとしてもどこか気恥ずかしい部分があったりして、顔をしっかり見て喋れるかわからないけど、コウは今回の映画で初めて会った人だし、言ってしまえば赤の他人なので、だからこそ相手の顔を見てちゃんと話したりできるのかなって。もちろん、ただの他人以上の関係には探偵事務所のくだりでなっているから、魁利はコウを助けたいという気持ちになるわけですけどね。

――コウを思う魁利の気持ちが伝わる、いいシーンでしたね。

伊藤　あれって、台本だと魁利のセリフにすごく「！」マークが付いてたんですよ。でも、魁利がそういう強いテンションで何か言ったところで、それでコウの気持ちが変わるかっていうとそうではないなと思ったので、自分でいろいろ考えて、諭すというかコウの顔をしっかり見て話すように演じたんです。……圭一郎には助けてもらったけど、今回は魁利は助ける側だったから、そこはすごく気にしたところではありました。難しかったです。

それぞれのチームワークのよさ

――2人の先輩レッドから見て、リュウソウジャーの様子はいかがでしたか？

伊藤　最後の日、全員で変身する場面の撮影をしてたんですが、傍から見ていてとっても仲がいいなと感じましたね。誰かがミスってもすぐお互いフォローしあってたよね。

結木　チームワークがあるよね。

伊藤　僕らは3人と3人だったけど、リュウソウジャーは6人だし、よくまとまってるなって。

結木　6人で仲よくなるのって難しそうだなと思うんだけど、まったくそんなことはなくて。

一ノ瀬　キャスト発表で「仲いいです！」って言うくらいで（笑）。追加戦士のカナロのカツ（兵頭功海）もあっという間に仲よくなりましたから。

結木　確かに、『ルパパト』でも（元木）聖也は打ち解けるのが早かったなぁ（しみじみ）。

一ノ瀬　でも逆に、僕は「ルパパトの人たち、仲いいな！」って思ったんですよ。久々の再会のはずだけど、空白を感じさせない団結力がありましたよね。1年間一緒にやって来たってこういうことかって。その後、間が空いてもすぐに雰囲気戻るんだなって。

――東映公式サイトの撮影レポートでは、「ハイテンションの結木くん、いろんな人の話を聞きに行く一ノ瀬くん、マイペースで落ち着いている伊藤くんと、キャストとしてもそれぞれタイプのまったく異なる3人だったのが印象的でした」と書かれていて、みなさんタイトなスケジュールの中でものびのびと撮影に臨まれていたんだなというのが伝わりました。

結木　そう思われていたのか（笑）。自分だとわからないから、面白いですね。

伊藤　確かに、僕は静かで落ち着いてたよね？

一ノ瀬　あはは！（笑）

結木　それは絶対にない！（笑）

――3人のレッドがそろい踏みとなるのは初でしたが、現場でも特にお互い気負うことなく？

伊藤　そうですね。

一ノ瀬　これまでにちょっとお会いしただけの人や、今回が初対面の人ともすぐに仲よく打ち解けられてよかったです。

伊藤　そこは同じシリーズをやっている仲間として……他の作品の現場でもそうですけど、スーパー戦隊や仮面ライダーに出ているというだけで連帯感が生まれるというか。

結木　共通の体験があるから、それが話のネタになるというのはあるね。

伊藤　そうそう。だから、仲よくなりやすいんですよね。

一ノ瀬　おかげで、ルパパトメンバーに快く迎え入れてもらって、すごくありがたかったです。

伊藤　いやいや、逆でしょ！

結木　メインはリュウソウジャーだから！

一ノ瀬　えへへ（笑）

伊藤　今回は僕らが迎え入れてもらった側だからね（笑）。

一ノ瀬　いやいやいや（笑）。リュウソウのみんなよりルパパトのみなさんの方が印象強くないですか？

結木　あっ、ノエルが狂言回しっぽいポジションだから。ある意味、今回はノエルがメインかもしれない（笑）。

伊藤　そうだ！　ノエルは超オイシイ役だった（笑）。

――そういえばラストシーンで全員がわちゃわちゃしてる時、圭一郎がひとり走りまわってますよね？　あそこは特に監督の指示はなく、役者さんにお任せだったそうですが…？

結木　そうですね、走っちゃいましたね（笑）。あれ、なんだったんだろう…？

伊藤　あそこはただの結木滉星です（笑）。

――では最後に、今回の3大スーパー戦隊の共演を振り返って、それぞれ一言ずつお願いします。

伊藤　久々に魁利を演じられて嬉しかったです。スーパー戦隊シリーズの現場へ久々に帰ってきて、居心地のよさを感じました。スタッフさんも同じですし、1年ぶりなのにホームという感じがあって。機会があればまた出たいですね。

結木　個人的には、テレビスペシャル（『4週連続スペシャル スーパー戦隊最強バトル!!』）のとき、リュウソウジャーとチラッと会っていたから、他のルパパトメンバーよりは少し親密になってたんですよ。あと、Blu-rayの特典映像（『リュウソウジャー』COLLECT-ON 1）では一緒にフットサルの試合もやらせてもらいましたし。その上で、みんなと再び共演できたのが嬉しかったです。

一ノ瀬　『ルパパト』の人たちは、僕たちが1年『リュウソウジャー』の現場で過ごしている間に、違う作品を経験している先輩たちでもあるので、勉強させてもらうことも多かったです。さっきも話に出ましたが1年経って集まったときも、それぞれのキャラクターを1年演じてきたからこそすぐに当時のキャラクターを自分に戻せるんだなって。1年間関われる作品をやらせてもらえるってすごいなと思いました。スーパー戦隊シリーズをやらせて頂いてることで、他のひとたちからも親近感が湧くと言ってもらえたり、もちろん小さい子からも好きって言ってもらえて。そういう反響をたくさんいただけるので、改めて、スーパー戦隊シリーズって素晴らしい作品だなと思いました。

いちのせ・はやて：1997年4月8日生まれ。東京都出身。
特技はダンスとバスケットボール。大学の入学式でスカウトされて芸能界入り。
『騎士竜戦隊リュウソウジャー』のコウ／リュウソウレッド役で初主役・初ドラマ出演を果たす。ファースト写真集「颯」(ワニブックス)発売中。
【公式 Instagram】https://www.instagram.com/hayate_ichinose_official/

いとう・あさひ：2000年1月19日生まれ。東京都出身。
2017年に俳優デビューを果たし、テレビドラマ『緊急取調室 シーズン2』などに出演。
『快盗戦隊ルパンレンジャーVS警察戦隊パトレンジャー』で、ドラマ初主演となる夜野魁利／ルパンレッド役を演じた。
映画『私がモテてどうすんだ』が2020年7月公開予定。
【公式 Instagram】https://www.instagram.com/asahi_ito_official/

ゆうき・こうせい：1994年12月10日生まれ。大分県出身。
主な出演作に、テレビドラマ『あおざくら 防衛大学校物語』『カカフカカ－こじらせ大人のシェアハウス－』、
映画『下忍 青い影』『青の生徒会 参る！ season1 花咲く男子たちのかげに』、舞台『里見八犬伝』『ハイパープロジェクション演劇「ハイキュー!!」"進化の夏"』など。
【公式 Instagram】https://www.instagram.com/kouseiyuki_official/

TACTICALUNIT

DIRECTOR×WRITER [VS] CROSS TALK
渡辺勝也×香村純子×荒川稔久

『騎士竜戦隊リュウソウジャー VSルパンレンジャー VSパトレンジャー』の脚本を執筆した
香村純子とその兄弟子・荒川稔久。そして、監督を手掛けた渡辺勝也の3名が、
いかにして今回の劇場版を創り上げげたのか、そのプロセスをここに語り合う。

取材・構成◎鶯谷五郎・編集部

――今回の「VS」劇場版、『騎士竜戦隊リュウソウジャーVSルパンレンジャーVSパトレンジャー』の脚本を香村さんと荒川さんで共同執筆されることになった経緯は？

香村　お話をいただいたとき、ちょっと忙しいので『リュウソウジャー』のことをお勉強してから1人で全部やるのは無理かもとお返事をしたんです。そしたら、プロデューサーの丸山（真哉）さんに「今、『リュウソウジャー』をやってる人と誰か一緒に組んで書いていただいていいですから」と言ってもらったので、「じゃあ、荒川さんでお願いします」と。

――香村さんにお話があったのは、『ルパパト』がわかって書ける人が必要だったということですね。

香村　そうですね。たぶん、『ルパパト』サイドにすごく気を遣ってくださったんだと思います、丸山さんは。

荒川　監督はそのあとに決まったの？

渡辺　僕は『リュウソウジャー』で夏に3話持ち（第23～25話）をやっていて、それで「次は『VS』をお願いします」と言われたんですよ。

――監督からシナリオに対して何か要望を出されたことは？

渡辺　プロットになる前の打ち合わせかな？　僕と香村さんと丸山さんたちで、どういうものにしようか話したと

圭一郎とバンバのやりとりは、2人のタイミングにかなりこだわって撮影しました。（渡辺）

き、今までの経験上、スペシャルな作品ということでモブシーンが出るんだろうなと思って。でも、天変地異で群衆がパニックに陥るようなシチュエーションでスケール感を出そうとしても、予算の関係もあって洋画みたいにはならないと。だったら、違う方向の見せ方をしたほうがいいんじゃないかという提案はしました。ドラマで見せたほうがいいですよと。

――脚本執筆の作業は、どんな役割分担で進められたんですか？

香村　私がプロデューサーからいろいろ条件をいただくので、その要望にハマるよう大まかなプロットを考えて、リュウソウパートのよくわかりませんってところは荒川さんにお願いします、みたいに投げるパターンでした。

荒川　わりと明確な役割分担というか、僕はほとんどリュウソウパートしかイジってないような気がする。

香村　荒川さんが書いたのはカナロとオトのところですね。コウとティラミーゴの絡みは私が書いて荒川さんが直してます。あと、私が書いた初美花とオトのところも荒川さんが足してました。咲也とトワに関しては特に何もなかったので、荒川さんの興味がよくわかる（一同笑）。

――基本ラインは香村さんが作られたとのことですが、テレビシリーズには参加していなかった『リュウソウジャー』の扱いに関して、何かオーダーのようなものは？

香村　確か最初に、丸山さんから「リュウソウジャーは戦う以外何もない人たちなので、『ルパパト』の世界にリュウソウジャーが入っていく感じでお願いします」「倒す敵はギャングラーにしてほしい。喋れるヤツがいいから」と言われたのは覚えてますね。それで、マスターたちから受け継いだ想いとか、いろいろ大事なんじゃないかと思ってプロットを書いたんです。そしたら、マスターたちが命を落としたことに対して彼らはそこまでは引き摺ってないので、やめましょうと言われて。

荒川　「そんなに重く考えませんから」って言ってましたね。

――なるほど。丸山プロデューサーの中で、そこは明確にリュウソウジャーらしさのラインみたいなものが、あるわけですね。

香村　ですかね。だから、わりと荒川さんが直してくれたリュウソウパートのセリフを、あとで丸山さんが直されるんですよ。

荒川　そう、「ここまでは言わない」って（笑）。僕としては「そうだっけ？　ずっとそうやって書いてたのに」みたいなところがあって、感覚的に何がいけなかったんだろうって思うんですけど。でも基本的に今回、僕はオトちゃんのことを書いたイメージしかないです。それも膨らませ過ぎて切られたりしたけどね。香村さんに（笑）。

香村　「オトちゃんにそこまでさせるのはやめてください」ってお願いしました。オトちゃんが初美花と一緒にクレオンやドルン兵と絡むところで、私的にはちょっと考えられない案を出してきたので、「それをやられるとあの場が成立しないのでやめてください」って（一同笑）。

渡辺　そこは香村さん、こだわってたよね。「嫌だ」って（笑）。

――劇中でオトちゃんがクレオンを突き飛ばしてたのは、その名残りなんですか？

渡辺　脚本に「体当たりする」って書いてあったんですよ。で、あそこの一連は福沢（博文／アクション監督）さんに見てもらったんだけど、テレビでクレオンがリュウソウブルーに地獄突きをやってたから、それを逆にやられちゃった形にしたいってことでああなったんですよね。

――今回、騎士竜が物語のキーポイントになりましたが、その起点としてコウとティラミーゴのケンカが冒頭にありました。これはどちらの担当だったんですか？

荒川　ティラミーゴ絡みのきっかけのところはこちらが書いてます。身体を洗われるのを嫌がって尻尾でコウを叩いてしまうのとか。

渡辺　今回は、思ったよりも真面目な感じになったけど、あれは数少ないコミカルなシーンのひとつだね。

香村　ティラミーゴ役のおぐら（としひろ）さんも一ノ瀬（颯）くんも喜んでましたよね。

渡辺　あそこは、一ノ瀬くんとおぐちゃんが2人で相談して、「セリフの順番を少し直したいんですけど」って現場で提案されました。で、やってみたら自然な感じに見えたから、いいんじゃないってことで撮ったんだけど。

荒川　ティラミーゴは可愛いよね。

渡辺　ティラミーゴってすごく大きいんですよ。でも、本当に生きてるように見えて。そこはさすがおぐちゃんだなと思いました。

――最後に仲直りして、「目に水が入るのが恥ずかしかったティラ」っていうのが可愛かったです。

荒川　あれ、元ネタは近藤真彦なんですけど。

――そうなんですか⁉

荒川　近藤真彦って、シャンプーハットがないとお風呂に入れない人だったんですよ。

香村　それ、いつぐらいの話ですか？

荒川　たのきんトリオの時代に、そういう記事を何かで読んだ。

渡辺　なんで、それを急にここで？　何も関係ないじゃない（笑）。

荒川　まったく関係ないけど、面白いかなと思って（笑）。

――でも、その些細な日常が実は非常に重要なシーンというか。どうでもいいことでケンカしちゃった相手を失うかもしれない局面を迎え、もしかしたらもう謝ることもできないんじゃないかという展開をリュウソウジャー側で描くのが、今回の物語の大きなキモですよね。

荒川　あれは小津安二郎の『秋日和』に、佐田啓二がラーメン屋で司葉子に話すシーンがあるんですよ。何気ないことで母親とケンカしたら仲直りしないまま母親が死んじゃって、「つまんないことでお袋とケンカしちゃったんですよ」っていうね。そこからとりました（笑）。

――え？　あれって『ルパパト』の冒頭から被せてるんですよね？

荒川　もちろん、そうですよ（笑）。

香村　それで、なるべくくだらないのにしてくださいってお願いして、荒川さんに投げました。

――その結果、マッチから小津まですごい落差が（笑）。

荒川　確かに落差はすごい（一同笑）。

§

――「VS」といえば、やはり新旧スーパー戦隊の共演が見どころなので、その点についてもうかがいたいのですが、まず劇中で絡むキャラクターの組み合わせはどういうふうに決めていかれたんですか？

香村　最初、レッドの組み合わせを「圭一郎とコウにしてください」って言われたんですけど、わりとコウがラッキーと似た方向性のキャラだと思ったので、それだと前の「VS」（『ルパンレンジャーVSパトレンジャーVSキュウレンジャー』）と似てしまうからそれはやめようと。あと、魁利くんはキュウレンジャーとの「VS」でレッドの人と全然絡まなかったので、魁利くんもレッドなんですよということで、今回はこちらの組み合わせにしました。
――コウが目を覚まして、魁利とリュウソウケンを渡す渡さないのやり取りをするところが、映像では脚本よりだいぶ膨らませて描かれていましたが。
渡辺　あの剣のくだりに関しては動きを福沢さんにやってもらってるんです。ちょっとコミカルに面白くなるようにお願いして。
――圭一郎は今回、バンバとの組み合わせでしたが、あの実直ゆえの融通の利かなさが今回も非常に上手く作用していましたね。
香村　あれが「VS」を保てる大きい要素ではあるので、そこを曲げるわけにはなかなかいかないなと。
渡辺　圭一郎とバンバのやりとりは、自分としてもすごく印象に残ってます。2人が初めて対峙するシーンで、剣と銃が交差するようなカットを撮ったんだけど、あれは画角、立ち位置、2人が同時に行くタイミングにかなりこだわって、今回の撮影で一番やり直したんですよね。時間がなかったらこれでOKにしようと判断することもあるけど、あのときはそこそこ時間もあったから、ひたすら何回もやったのを覚えています。
――ノエルが狂言回し的なポジションで動いていますが、これはテレビ本編でノエルだけが願いが叶ってないからフィーチャーされたのかと。
香村　そうですね。『ルパパト』側はノエル以外、快盗も警察もそんなに能動的に動くことがないので。
――快盗と警察のどちらにも入れるキャラクターだから、その点でも動かしやすいですよね。さらにリュウソウジャーもいる中で全体に絡んでいけるのはノエルくらいな気もしますし。
渡辺　そうですね。そこは上手くハマった気がします。
――あと、細かいとこで、ノエルがティラミーゴにも「くん」を付けるのがよかったなと。
香村　それは付けないと（キッパリ）。
――そんなノエルとの絡みを主に担当したのがメルトとアスナですね。
香村　役割としては、たぶんメルトはノエルと話が合うだろうってことだったので。それで、リュウソウルについて説明してくれる係を担当させて、のちに繋がるという。
渡辺　一番ラストは、ノエルとメルトの会話で終わるからね。
荒川　メルト以外にノエルのことを受け止められる人がいないんだよね。
香村　ちょっとアスナにまともなリアクションをさせようとすると、アスナはそんな賢いこと言えないからって丸山さんに言われて。
荒川　そんなこともないんじゃないかなと思うんだけど。
香村　それだと「えー、すごい」とか「わー」とかしか残らなくなっちゃうから、クライマックス前にノエルとのお芝居で彼女のいいシーンを入れてみました。
――アスナが泣きそうなのを堪えながら笑顔でお礼を言って、言われたノエルが泣きそうになるくだりですね。あそこ、すごくよかったです。
香村　私、リュウソウではアスナ推しなので（笑）。
――あと、咲也がトワを取り調べるグリーン同士の組み合わせもそれぞれの個性が出ていました。
香村　咲也がスケジュールの都合であまり出られないかもしれないって話だったので、取調室だったらロケに出ず撮影所内でできるかなと。
渡辺　『ルパパト』の取調室のセットに使っていたものがまだ残っていたから、取り調べのシーンはそれを使って撮りましたね。
――ここはトワと咲也のそれぞれの掛け合いが、台本を読んで想像していたのと全然違って面白かったです。
渡辺　それは本人がそういう芝居をしたってことですよ。芝居に関しては演じている本人たちが一番考えてるわけですから、僕は基本的にお任せなんです。あまりにも自分が思っていたのと違う場合はイメージをすり合わせますけど。僕としては画（え）からくる全体のバランスで考えるから、「ここはワンカットで行きたいからこう動いてほしい」とか、そういう指示はもちろん出しますよ。それで「わかりました、いきましょう」という人もいれば、「僕はこう動きたいんです」という人もいるし。そういう意味では、今回は横山（涼）くんが一番、こだわりがありましたよ。
――たとえば？
渡辺　スーツアクターの大林（勝）さんが演じる国際警察の職員とのシーンで、名前をどう呼ぶかとか。「僕はパトレンジャーで、相手は国際警察の隊員で、僕のほうが年下かもしれないけど、相手は下のチームの人だから、ポジション的なことを考えて、僕は〝大林くん〟と呼びたいです」って、あそこはかなり強い希望がありました。
香村　アフレコも楽しそうでしたね。
――あとは、劇中で実現した組み合わせでいうと、つかさとカナロですね。つかさがじゃがとんのガシャポンをやってるとこにカナロが現れて、いきなり惚れてしまうという。
香村　そこはやっぱり、カナロは婚活しないとダメだろう的な。
荒川　ただの変な人になっちゃったかもね、カナロ（笑）。
――その2人に透真が加わった場面でも、カナロの持ち味はまったくブレてなかったですね。
荒川　久々の再会でつかさと透真が見つめ合いながら、それを見ているカナロが、あの2人はいったい……？　みたいな（笑）。とことん6人目の戦士とは思えないような、あの扱いがいい
（一同笑）。
香村　今回、カナロにはカッコいいところを与えられなかったので、これでいいんですかね？という思いもあったけど、荒川さんに聞いてみたら、「いいんじゃない」との答えだったので、じゃあいいかって（笑）。
――しかも、つかさ先輩にフラれたあと、初美花を見かけてすぐそっちに行っちゃうのが、さすがだなと思いました。そして、そこで「初美花ちゃんは僕のです」っていう咲也に女性ファンがキュンと来るみたいな。
荒川　あぁ、その振りになっちゃったんだ、カナロが（笑）。
――あと、あれだけキャラクターが入れ替わり立ち替わり出てくる中で、それでもちゃんとオトちゃんも出るんだなっていう。
荒川　出るんだなっていうか、出しました（一同笑）。ストーリー的には別にいなくても成立はしたんだけど。
――でも、初美花とオトちゃんの組み合わせもよかったです。オトちゃんが相手なことで、少しお姉さんぽい雰囲

わたなべ・かつや：1965年9月20日生まれ。神奈川県出身。『超新星フラッシュマン』より助監督としてスーパー戦隊に参加し、92年『恐竜戦隊ジュウレンジャー』第11話で監督デビュー。以降、シリーズ19作品に参加し、4作でパイロットを担当。また、メタルヒーローや仮面ライダーシリーズにも参加し、東映特撮ヒーローを牽引する監督として精力的に活動。

魁利と圭一郎は現場以外では普段、会っていないつもりで書いていました。（香村）

気の初美花が見られたし。

香村　あまり初美花が誰かを守るというシチュエーションに置いたことがないので、そこで変化が出せたのかなと。

――2人のやりとりで、ちゃんと詩穂ちんの漫画に触れられていたのも大事なポイントですね。

荒川　映像で観てちょっと後悔したのは、オトちゃんが買う単行本をちゃんと最新刊の限定版みたいに書いておけばよかったなって。

渡辺　どういうこと?

荒川　一応、作品に思い入れがあるセリフになってるじゃないですか。「この人のマンガ、いいですよねー」って。なのに普通に1巻から買ってるから。

渡辺　あれは、月刊誌だか週刊誌だかわかんないけど、連載を見てよかったから単行本で買ったと。現場ではそういう話だったんですよ。

荒川　なるほど、納得しました（笑）。

――劇中で、魁利の兄・勝利や、透真の恋人・彩の話も出ていましたが、彼らといまだ距離を置いて暮らしてるのは?

香村　まだノエルのための快盗稼業を続けていて、引き続き逃亡生活中なので、ちゃんとした生活を続けている人と一緒にいるわけにはいかないということですね。ただ、つかさが握っている情報が正しいとは限らない、透真たちは1年間しれっとジュレの店員として警察メンバーに接してた人たちですよ?（笑）

§

――ということで、『ルパパト』ファン的には最終回から約1年後のみんなという見どころもあったわけですが、その点については?

香村　最初に「1年後のルパパトの世界を見せたい」「魁利と圭一郎のちょっといいシーンを入れてください」というオーダーはありましたね。

――それが歩道橋の上の缶コーヒーのくだりですね。

香村　本当はベンチでやりたかったんですけどね。

渡辺　あのベンチは基本的にナイターがダメな場所なので、制作部としては、あの時期だと16時半くらいまでなら少し暗くなっても上手く誤魔化してやれるよって言うんだけど、その日は諸事情で早めの時間の撮影は無理そうだと。なので、事前にダメだったらどうする?って香村さんに聞いたんですよ。

香村　それで、「ダメだったら歩道橋でお願いします」と。

――思い出の場所が二ヵ所あるから成立したわけですね。缶コーヒーと歩道橋の2in1が、それはそれでおトクな感じもしましたけど。

香村　ただ、ベンチにしておけば、あそこはノエルとの出会いの場所でもあったから都合がよかったんですけど、まあしょうがないので。

――歩道橋の場面って、本編でもナイトシーンだったじゃないですか。だから、そこも上手くハマっていたのかなと思うんですが。

渡辺　ただし、逆にやったんですよ。テレビでは魁利がいたところに圭一郎が来るけど、今回は圭一郎のところに魁利が来る。あとは映像として、ベンチはただ近くに木があるだけで光も何もないけど、歩道橋は車が通ったり、そういうところでも変化が出せたのでよかったです。

香村　2人の関係で1つ思い出したんですが、魁利の「熱血おまわりさん」も「圭ちゃん」呼びも、あまり言えるタイミングがなかったので、どこで入れるか悩んだんですよね。それで、変身前に熱血おまわりさん、変身後に圭ちゃんと、本編とは逆シチュエーションにしたんだった。

――なるほど。テレビ本編を彷彿とさせるという点でもう1つ質問が。34話「伝説の銃」でルパンマグナムの使用時に銃身にキスするくだりは、ルパンレッド役の浅井宏輔さんが「台本にちゃんと書いてありましたよ」とおっしゃっていましたが、今回の映画でもそのような指示はされたんですか?

香村　そもそもテレビのときにそこを書いたのはプロデューサーの宇都宮（孝明）さんか（加藤弘之）監督だったと思うんですけど……でも、「行くぜ、ルパンマグナム」って書けば、今回もやってくれるだろうと思ってました（笑）。

――今回、魁利が探偵になっていたのが大きな変化の1つでしたが、あの設定については?

香村　魁利が探偵をしていることにしたいなっていうのは、私が個人的にずっと思っていたことなので。ここで書かせてもらえるならやっちゃおうかなと。その後の魁利がどう生きていくかと考えたとき、ニチアサヒーロー的に許されるレベルでアウトローでいてほしかったんです。あれだけ圭一郎とは交われないんだとやったあとなので。となったときに、ルブランのルパンが探偵もやってたりしたのを踏まえて、探偵がいいかなと。稼げなくても魁利たちはルパン家の財産で食っていけると思ってますし（笑）。

――透真は新しくカフェを開いていましたね。で、その店につかさとカナロが来ちゃってバッタリ再会し、つかさに「こんなところにお店をかまえていたとはな」と言われた透真が「おかげさまで。まあ、今日でここも終わりでしょうけど」と答えるやりとりに、現在の関係性が端的に描かれていて、キメが細かいなと思いました。

香村　そこは、快盗と警察でいまだにクールにバチバチやれるのもあの2人くらいかなと思うので。

――初美花のセリフで「専門学校生」という現在の状況が語られていましたが、これは初美花だけは未成年だから表向きは「少女A」ってことで専門学校生をやれているってことなんですか?

香村　そうですね。まあ、今の時代なので、ネットとかに画像は出回っていると思いますけど。

――それもあってか、留学するつもりであることも語られていました。

香村　可能ならば初美花さんはフランス留学中とかにしたかったんですけど、そうすると撮影的にいろいろ大変そうなので。フランスなのは、ルパン家のあれこれで顔が利いたりするのではないかということで。

――ちなみに、快盗と警察ではスーパー戦隊としての現場以外にも、素顔で普段会ってたりするんですか?

香村　会ってはいないつもりです。基本的に現場で会う以外、快盗たちが今どこで何をしてるかはわからないというところで。

――なるほど。そのわりに歩道橋のシーンの2人の空気感が柔かいなと思って。

香村　あれは、状況が状況だから。魁利くんがリュウソウジャーのためにギャングラーの金庫を開けようと待機している現場を、圭一郎が遠目に一度見ているので。ノエルが飛び込んでダメだってときに、屋上辺りに魁利くんがスタンバっているのを目撃していて、

何をしようとしているかわかっていて、そこからの歩道橋だから、そんなに怒ったりしていることもなく、ああいう雰囲気になっています。

渡辺　歩道橋のシーンは状況がもうそういう場合じゃないからね。リュウソウジャーがピンチで、2人とも気がそっちにいっちゃってるから。

香村　そうですね。大事なリュウソウジャーの相棒たちが命を落としてしまうかもしれないというところなので。

――ギャングラーの金庫に騎士竜たちが閉じ込められて、そのまま倒すと中の騎士竜も一緒にやられてしまうから、いかにして救出するかというのが、今回の共演の大きなポイントですね。

香村　最初に話したように「倒す怪人をルパパトのほうにしてください」と言われたので、それなら金庫をどう活かすかということでしょってところから始まったような気がします。

荒川　丸山さんたちは金庫の設定をそんなに細かいところまで把握してなかったから、そこはほとんどお任せだったよね。

――ギャングラーの金庫が5個だからダイヤルファイターの数的には外せるはずが、ギャングラーが進化して2倍の10個必要になっちゃってどうする⁉という展開が見どころですが、そこでルパパトだけじゃなくリュウソウジャーの力が必要になる解決策に共闘の必然性がちゃんとあるのもよかったです。

香村　それこそリュウソウジャーと一緒じゃないと解決できない方法で何とかすれば、そこに組んで戦う甲斐があるかなと思って書きました。最初は単純にフエソウルで増やせばいいじゃんと思ったんですけど、丸山さんから「あれは能力はコピーできないからダメです」と言われて。それで別の方法を考えて、あのストーリー展開になったんです。そしたら意外とその設定が浸透してなくてなんだよ！ってなりました（笑）。

§

――ドラマはもちろんアクションもすごく見応えがありましたが、アクション監督の福沢さんとは、今回はどういった形で作業を進めていかれたんですか？

渡辺　テレビでも映画でもスーパー戦隊シリーズの基本……たとえば変身ポーズや名乗りなんかは福沢さんが決めるんですけど、今回でいうとラス立ちの変身シーン、名乗りの大爆発、あそこまでは僕が担当して、その後の立ち

こうむら・じゅんこ：1976年5月28日生まれ。『炎神戦隊ゴーオンジャー』でスーパー戦隊シリーズに初参加。以降、数々の作品に参加し、『動物戦隊ジュウオウジャー』と『快盗戦隊ルパンレンジャーVS警察戦隊パトレンジャー』でメインライターを担当。その他、『Go! プリンセスプリキュア』『映画HUGっと!プリキュア・ふたりはプリキュア オールスターズメモリーズ』など、アニメでも活躍。

何といってもオトちゃんの泣かせのシーンですね。もうジーンときちゃって（笑）。（荒川）

回りから福沢さんに切り替わっています。逆に、アクションに関わる芝居から撮り方から何から、そこは時間の使い方、予算の使い方、日数の使い方含めて全部、福沢さんのやりたいようにやってくださいと。今回は福沢さんや香村さんたちと事前に飲んで打ち合わせしたんです。香村さんワールドを本人から細かく福沢さんにお話ししてもらったほうが、僕を通すよりちゃんと想いが伝わるし、たとえばルパパトとリュウソウジャーのアイテム交換の場面も、どういう見せ方をしたいかお互いの意図がわかりやすいですよね。

――アイテム交換の場面も、通常のアクションとも違う「VS」ならではの見どころですよね。台本で読んでも、どういうことが起こっているのか字面だけではよくわからなかったから、確かにイメージのすり合わせが重要だったのかもしれません。

香村　謎のカタカナがすごく並んでいて、だんだん誰が何を持ってるのか？　これってなんだっけ？　って、自分でもよくわからなくなってました（笑）。

渡辺　そうやって一緒に飲んで、いろいろ話してアクションシーンを作るのは、あまりテレビシリーズではないことだから、そういう意味では今回は本当にみんなで一丸となって作った感じがしますね。

――アクションといえば、ノエルの素面アクションも見どころで、台本に「（無駄にアクロバットし）」と書かれてるのが素晴らしいなと（笑）。

香村　そこはあえてそう書いたんですよ（笑）。

荒川　あのムダ過ぎる感じがいいよね（笑）。

渡辺　あれはテレビだときっと細かく割っちゃうと思うんです。迫力を出そうとアングルとかも凝っちゃって。でも、今回は大画面だから引きで撮っても本人の顔がわかるし、ここは思い切って一発でいいんじゃないかなと。そこで映画ならではの見せ方をしたつもりです。

香村　だいぶ長い距離を動いていて、山道なのにすごいなぁって思いました。下が砂利なのに手が痛くないのかな？　って。

渡辺　あれ、よく見ると引きのカットは肌色の手袋をしてるんですよ。もちろん室内はしてませんけど、そこから外に出されたあとは。

香村　あそこは音が静かめだったのも「えー」って感じがして、ちょっと驚きました。

渡辺　あれはリアルな音です。素顔でアクションしていても、よくビュン！　みたいなキャラクターが動くときの音が鳴るじゃないですか、こういう作品だと。極端な例だけど、昔の『仮面ライダー』を観てたら、立花藤兵衛さんがジャンプしてもビュン！　みたいな。

荒川　確かに、ある（笑）。

渡辺　でも、今回はそこをあえて生の音にして、リアルなところはリアルみたいな見せ方にしました。

――それも、ノエル役の元木（聖也）さんの身体能力ありきですよね。

渡辺　だってパルクールがすごいんだもん。それがあるから香村さんがシナリオに書いてくれて、本人もキッチリ披露してね。衣裳合わせのとき、彼にセットを見てもらったんですよ、リュウソウジャーの。それで、どうしたらパルクールを活かせるシーンをワンカットで撮れるか相談して、セットの中に置いてあるものの配置を決めていったんです。

――テレビで今回のように「（無駄にアクロバットし）」みたいなことを入れ込む余地はさすがになかった感じだったんですか？

香村　テレビのときに実は考えていたんですが、なんだかんだ尺を削っていきましょうという話になると、そこは入れられなくなっちゃうんですよね。

荒川　本当はそういうところのほうが面白いんだけどね。そこでキャラも出るし。遊びがないと普通の感じになっちゃうから、それは毎年悩みです。

香村　だけど、今回はノエルの出番が多めだったので、じゃあやってもらおうかなと。テレビであまりできなかった分、今までの分も合わせてと思って削らず残した感じですね。

§

――2作品3チームの共演でしたが、全員の登場場面が非常に上手く散りばめられた、バランスがいい構成だったと思うんですが、脚本をお書きになられた立場から、何かやり残したことはあったりしますか？

香村　楽しいほうがいいよなと思っていろいろネタ出しはしたんですけど、まず「ちゃんと怖い怪人にしてください」というオーダーがあって。それで、キャストのスケジュールや予算の都合上、とにかくまず形として成立させましょうねと頑張った結果、本当はもっとくだらないことしたかったんですけど、わりと真面目にやっちゃったなという反省はあります。

――とりあえずエピローグが、アスナの食いしん坊ネタでスーパー戦隊らしい楽しい雰囲気になっていましたね。

渡辺　あれは、アスナちゃんと透真のくだりだけ本編でできなかったからね。

香村　だから、せめてセリフだけでもと思って最後のところに足したんです。結局、尺の関係で短くした結果、そこも少しだけになっちゃったんですけど。

渡辺　あまりにすぐ終わっちゃったから、カットバックをもう何回か出来るように、香村さんに「セリフを足してください」って言ったんだけど、香村さんは「あの2人ならアドリブでいけるだろうから」っていうから、それをアスナと透真に事前に伝えて、「このあとをアドリブで足してくれ」って言いました。

香村　「できなかったら言ってください。足しますから」って言って、一応傍にもいたんですけど、呼ばれなかったから大丈夫かなって。

渡辺　そう。やり始めたんだよ、アスナが「麻婆豆腐は～」って（笑）。

香村　でも、もし書けって言われたら、「じゃあ、たこ焼き食べたい」って返そうかと思っていたので、発想としては一緒だったと思います（笑）。

渡辺　正解だったんだね。じゃあ、よかった（笑）。そのあと、声優のてらそま（まさき）さんが、ティラミーゴのいる場所が遠くだったにも関わらず、「アスナ、麻婆豆腐はフランス料理じゃないティラ！　中華料理ティラ！」ってアフレコで言ってました（一同笑）。

――それ、入ってましたっけ？

渡辺　それが、少し尺を短くすることになって、丸山さんが「だんだんフェードアウトさせてください」と。だから、「アスナ、麻婆豆腐は～」まで聞こえるけど、そこからエンディングの音楽が大きくなっていっちゃって。あれはちょっと残念でしたね。

――結木滉星さんが最後に走り回るシーンあったじゃないですか。あれはどういう経緯でああいうことに？

渡辺　彼が勝手にやったんですよ。現場に『ルパパト』のPの宇都宮さんが来てたから「圭一郎あんなことするの？あれでいいの？」って聞いたら「本人がそうやってるんだからいいんじゃないですか」って。

香村　よくわからないけど、すごいテンションで走り出したんですよ。

――何をやってたんですか？

渡辺　あれは本人しかわからないですね。圭一郎はそんなことしないと思うわけですよ、僕は。

香村　誰一人すると思ってないから（一同笑）。

――では最後に、今回の劇場版でみなさんがそれぞれ一番やりたかったことを挙げていただけますか？

渡辺　脚本が上がってきて、そこに書かれている文章や気持ちをどう撮ったら一番伝わるかな、観る人にわかりやすいかな、というふうに映像として考えるんですけど、今回上手く撮らせてもらえたなと思うシーンは、まず探偵事務所です。あれは、今回外しちゃいけないポイントでしたね。あとはロケ地も可能な限りこだわりました。立ち回りはどうしてもいつものところになっちゃうんですけどね。「VS」はいつもより人数が多いから余計に。で、「VS」だとヒーローが集結して変身から名乗ってドカーンとなるところが見せ場なんだけど、僕個人として強く思い入れて撮ったのは、ラボの夕焼けからのそれぞれのナイトシーンで翌朝に至るまでの一連のシーンです。

――最終決戦を前に絶体絶命の状況の中、みんながそれぞれに悲痛な思いで過ごすくだりですね。

渡辺　ヒーロー作品である以上、本当はラス立ちに向けての物語なんだろうけど、この作品はあそこに向けての物語だと思って僕はやってきた感じです。そこが最初に本もらったときから一番の狙いだったし、それは映像を観てくれればわかってもらえると思います。

――なるほど。荒川さんはやっぱりオトちゃんですか？

荒川　はい。それでいいんじゃないでしょうか、僕のイメージ的に。

――イメージ的に（笑）。では、オトちゃんのシーンで特に手応えを感じられたのは？

荒川　それは、何といっても泣かせのシーンですね。オトちゃんが神社で「もっと話してればよかった」っていうところ。あれはもうジーンときちゃって。

渡辺　まるで、お父さんが娘を見るような。いや、孫を見るような（笑）。

荒川　せめて娘にしておいて（笑）。

香村　荒川さんはオトちゃんにしか興味ない（笑）。

荒川　いや、そうじゃなくて一番何回も話を書いたからですよ。

――その分、思い入れがあるキャラクターってことですよね。

荒川　あの泣かせのところは自分のセリフが残ってる貴重なとこでもあるし（笑）、そういう意味でも好きなシーンですね。

――なるほど。

荒川　あとは、オトちゃんを変身させられなかったのが心残りだったって書いといてもらえれば（一同笑）。

香村　私は、もろもろ最初にお題を出されていたので、その中でできることをやるという感じで、何がやりたかったかと聞かれると若干困るところはあるんですけど（笑）、2つの作品のコラボの映画としてだとすれば、やっぱりコウと魁利をちゃんとお話しさせてあげられたかなという気はしています。

――ケンカしたまま大切な兄を失った魁利が、自分と同じ轍を踏むかもしれないコウと思いをぶつけ合う展開がアツいですよね。

香村　今回に限らずなんですが、先輩スーパー戦隊のほうが後輩スーパー戦隊に見せられるものとか渡せるものがあるといいなと、「VS」を観るときや作るときにわりと思っていて。それで今回は何をやったかというと、公私の〝私〟で戦うルパンレンジャーと〝公〟で戦うパトレンジャーがいて、普通のスーパー戦隊は両方取るわけですが、別々のことを第一に置いている人たちが、リュウソウジャーは両方を取るスーパー戦隊なんだよというのを後押しして、さらにノエルも両方取りたい人なので、ノエルがリュウソウジャーの願いを一緒に果たすことによって、まだ願いが果たされていないノエルもまた元気づけられましたよ、というふうな話になればいいかなと思って作ったんです。

――それはいい話ですね。一方で、ノエルの願いはいまだ叶っておらず、『ルパパト』の物語にはまだ先を描くためにテーマが残されていることになりますが、これって次のために残してあるんですか？

香村　いや、別に（キッパリ）。

荒川　塩対応な答えが（笑）。

渡辺　でも、案外そういうもんですよね。

香村　何か進展させるときは、少なくとも単独作品でやるべきですよね。別の世界のものと融合させてやることではないですよ、基本的に。

――なるほど。では、今回の映画はどういう位置付けなんでしょうか。純然たる後日談ではない？

荒川　テレビ最終回からの流れは汲んでるよね。

香村　一応汲んではいるけど、かと言ってものすごく正統な後日譚かというと、それはそれで違うなぁと。それだと正統の中にリュウソウジャーが取り込まれてしまうので。だから、これはあくまで自分の認識としてですが、基本的にスーパー戦隊同士がコラボするときはパラレルだと思って私は作っています。

荒川　そこを突き詰めて考えちゃうと、だってあのときいなかったじゃんってなるからね。

香村　そう。今、このピンチに無視を決め込んでるヒーローが嫌だなと私は思ってしまうので。たとえば、今のスーパー戦隊が戦っているときに、ルパンレンジャーはともかくとしてパトレンジャーが介入してこないのは嫌だなと思っちゃうんです。

――地続きの世界観なら、相手がギャングラーじゃなくても平和のために戦ってなければいけないと。

香村　そうですね。だから、共演するときは基本的にはまったく別の世界の話で、特別なケースとして捉えたいんですよ。

――そういえば、荒川さんは、同時上映の『魔進戦隊キラメイジャー エピソードZERO』も執筆されていますね。メインライターとして下亜友美さんと共同で。それもまた大変だったのかなと。

荒川　そうなんですよ1話にレッド以外のメンバーがキラメイジャーになる話が入りきらなくて、どうしようかなと思っていたら、そこに0話を映画でやるって話が来たので、これは渡りに船だなと。

香村　だから、本当は荒川さんに半分書いてもらおうと思っていたんですけど、荒川さんがそっちも書かなきゃいけなくなって、意味ないじゃんみたいな（一同爆笑）。

あらかわ・なるひさ：1964年3月14日生まれ。愛知県出身。86年、アニメ『ドテラマン』でデビュー。東映作品には『仮面ライダーBLACK』より参加。スーパー戦隊シリーズには『鳥人戦隊ジェットマン』以降20作品に参加し、『爆竜戦隊アバレンジャー』『特捜戦隊デカレンジャー』『海賊戦隊ゴーカイジャー』および現在放送中の『魔進戦隊キラメイジャー』でメインライターを担当。

騎士竜戦隊
リュウソウジャー

「大丈夫。
今の俺には、メルトが、アスナが、
トワが、バンバが、カナロがいる。
もう迷わない!!」

Guide of RYUSOULGER

騎士竜戦隊リュウソウジャー 激闘ガイド

「VS」劇場版の面白さを隅々まで味わうべくテレビシリーズの魅力と見どころを紹介する、作品解説パートの第1弾は『騎士竜戦隊リュウソウジャー』！ 主要キャラクター紹介&ピンポイント解説とともに、1年の長きに渡った激闘の流れを追ってみよう。

文◎編集部

※本稿におけるキャスト・スタッフの発言は、原則としてムック「リュウソウワールドへ行こう! 騎士竜戦隊リュウソウジャーエンジョイブック 」（弊社刊）より引用。

【主要キャラクター紹介】

■リュウソウ族

6500万年以上前から地球を守るために存在する一族。人類に比べて長命で、コウが自身の年齢を「209歳」と劇中にて言及している。

人里離れた富士山麓の結界が張られた村で、騎士竜を封印した神殿を守り暮らしていたが、過去に宇宙に去っていたはずのドルイドンの再攻を受け、部族は散り散りとなる。コウたちは人間界から隔離され、幼い頃から戦うことしか知らない。それぞれ一族の中から選ばれ訓練されてきた彼らは、マスターと呼ばれる人物に師事し、「リュウソウジャー」の資格を拝命する。

●リュウソウジャー

コウ／リュウソウレッド（演：一ノ瀬颯　スーツアクト：伊藤茂騎）

マスターレッドからソウルとリュウソウケンを受け継いだ勇猛の騎士。メルト曰く、子供の頃のコウは力を突き詰め容赦がなかったが、アスナが連れてこられて一緒に修行するようになって以来、仲間を思いやる優しさを覚えた（この点について、コウは「アスナの面倒を見るメルトを見てその感情を知った」と言及）。素直に物事を見つめ、ストレートに核心に迫る目を持っている。相棒騎士竜はティラミーゴ。

●メルト／リュウソウブルー（演：綱啓永　スーツアクト：高田将司）

叡智の騎士。幼い頃からコウと一緒に修行に励んできた。生真面目で、よ

くアスナに融通が利かないと言われるが、作戦面などで頼りになる一面も。プレッシャーに弱いところがあるが、マスターブルーからの指摘やセトーの修行で自信のなさを克服した。相棒騎士竜はトリケーン。

●アスナ／リュウソウピンク（演：尾碕真花　スーツアクト：下園愛弓）

剛健の騎士。幼い頃、コウたちの村に連れてこられ、一緒に修行してきた。リュウソウジャー随一の力持ちで、かつ大食漢。龍井家に寄宿して以来、気に入ったのか常にスナック菓子を抱え込んでいる。コウ以上にまっすぐ他人を見て、直感で物事を判断するが、たいてい間違っていない。考えすぎなメルトや迷うコウを大らかな心で励ますことも。相棒騎士竜はアンキローゼ。

●トワ／リュウソウグリーン（演：小原唯和　スーツアクト：蔦宗正人）

疾風の騎士。兄のバンバと早くに村を離れ、2人で強さを求めさすらっていた。動きの速さには自信があるが、攻撃の軽さを気にしており、常に強い敵との戦いを求めている。登場時は他者を侮りがちだったが、コウたちと触れ合うことで人を尊重することを覚えた。昔から兄を一番強い男として尊敬。相棒騎士竜はタイガランス。

●バンバ／リュウソウブラック（演：岸田タツヤ　スーツアクト：竹内康博）

威風の騎士。マスタークラスの実力を持つ。当初はドルイドンを倒すため、マイナソーの元となる人間もろとも消そうとした過激な思考の持ち主だったが、コウたちと出会い、人々の思いを知って考え方を変えた。ナダと同時期に村にいて、リュウソウジャーになれず去ろうとするナダを引きとめようとしていた過去がある。相棒騎士竜はミルニードル。

●カナロ／リュウソウゴールド（演：兵頭功海　スーツアクト：岡田和也）

栄光の騎士。海のリュウソウ族で、歳の離れた妹・オトを溺愛。子孫繁栄のため、陸に上がり切実に結婚相手を探すことに。ドルイドンとの戦いは婚活の妨げとなるため、最短で終わらせるというスタンスだった。腕のブレスを水に触れさせて、相棒騎士竜のモサレックスやオトとテレパシーで会話ができる。海を必要以上に汚さないためか、エコロジー活動にも余念がない。

■リュウソウジャーを取り巻く者たち

●騎士竜

太古、リュウソウ族がドルイドンと戦うために恐竜たちを改造した存在。その力は強大で、ドルイドンが宇宙へ去ったあとはエラスを鎮めるために各地の神殿に封印されていた。合体して巨大ロボになることもできる。ティラミーゴはコウが命名。チイサソウルを使ってしょっちゅうコウと一緒にいるせいで、テレビなどで言葉を覚えしゃべるように。語尾「～ティラ」。

●マスター

マスターレッド、マスターブルー、マスターピンクは、ドルイドンの再攻撃で、それぞれ弟子をかばい命を落とした。マスターグリーンは過去に村を守るためガイソーグを手にしてしまい、その力に飲み込まれてしまった。マスターブラックはドルイドンの脅威を知り、幹部サデンとすり替わってプリシャスの元に潜入していた。

●龍井うい（演：金城茉奈）

いまひとつ閲覧数の上がらない自称ユーチューバーで、コウが初めて村の外で出会った人物。リュウソウ族の掟でコウが記憶を消去しようとしたが、巨大マイナソー出現でうやむやに。その後、コウ、メルト、アスナの3人を自宅に迎え入れた。

●龍井尚久（演：吹越満）

古生物学者で、騎士竜の研究をしていた。ういがコウたちの同居をお願いしたら、娘の初めての友達としてコウに大変感謝。発掘作業でセトーの魂を揺り起こしてしまい憑依された。セトーとしてリュウソウブラウンに変身したが、あまり戦力にならなかった。

●オト（演：田牧そら）

カナロの妹で、兄妹揃ってモサレックスに育てられた。兄と違い、最初から人間や陸のリュウソウ族にも友好的で、特にメルトに好意を示し、頻繁に2人きりで会っている模様。途中からメルト〝くん〟呼びを始めた。

●ナダ／ガイソーグ（演：長田成哉　スーツアクト：清家利一）

リュウソウレッドを目指し修行を積むも、選ばれず村を離れたリュウソウ族の青年。強さを求めるあまり拗らせてしまい、同じく強さを求めさまよう鎧「ガイソーグ」に取り込まれた。その後、自分を取り戻し「不屈の騎士」として戦う。ガチレウスとの攻防で、命を懸けてコウたちを守り命を落とすが、その不屈の魂はマックスリュウソウルとなり、コウを助けた。

■ドルイドン族

太古より地球征服を目論む邪悪な戦闘民族。タンクジョウ、ワイズルー、ガチレウス、プリシャスなど、作戦指揮を担当する歴代幹部のもと、従者のクレオンがマイナソーを生み出して地球を侵攻する。終盤で創造主のエラスが復活を遂げ、やがてプリシャスを取り込み完全体へと進化。地球を一から作り直そうとするが、リュウソウジャーとの戦いを経て自らを地球に必要ない存在と悟り、消滅した。

●クレオン（声：白石涼子　スーツアクト：神尾直子）

人間の負の感情からマイナソーを生み出す宇宙生物。タンクジョウを筆頭に上司には恵まれず、ボヤくことしきりだが、本人も性格がねじれ気味のお調子者で決していい部下とは言えない。なお、ワイズルーとは紆余曲折ののち、互いに信頼で結ばれナイスなコンビぶりを披露。

■第1話　ケボーン!!竜装者《リュウソウジャー》
（脚本：山岡潤平　監督：上堀内佳寿也）

　コウ、メルト、アスナがそれぞれマスターからリュウソウジャーを拝命。3人でリュウソウ族の村を守っていこうと決意した矢先、ドルイドンによって神殿が暴かれた。そして戦いのさなか、それぞれの目の前でマスターが自分を庇い命を落とすことに。だが、絶望にくれる暇はなく……コウ／リュウソウレッドは騎士竜の「ソウルをひとつに」という言葉に呼ばれ、キシリュウオーとともに巨大な敵・ドラゴンマイナソーに立ち向かう！　初めて騎士竜たちと出会った3人は、改めてリュウソウジャーとして地球を守っていくことを誓った。

　本作のメイン監督を務める上堀内佳寿也は、スーパー戦隊シリーズ初担当。持ち前の〝エモい〟演出で1話からいきなりマスターを失ったコウたち3人の激情と喪失感を描いた。

　キシリュウオーのスーツアクトは藤田洋平が担当。佛田洋特撮監督こだわりの演出で、従来にないほどスピーディーかつダイナミックは巨大戦を披露して、話題を呼んだ。

■第2話　ソウルをひとつに
（脚本：山岡潤平　監督：上堀内佳寿也）

　村とマスターを失ったコウたち3人は、姿を消した騎士竜たちを探すため里に降りることに。前回、知り合った龍井ういの父・尚久が古生物学者と聞き、彼女の家を訪ね、3人を娘が連れてきた初めての友達と思った尚久は大歓迎。コウたちは龍井家のお世話になることとなった。

　尚久を演じたのは、名バイプレーヤーの吹越満。『有言実行三姉妹《シスターズ》シュシュトリアン』のフライドチキン男役以来、四半世紀ぶりの東映特撮作品レギュラー出演で存在感を発揮した。

勇猛の騎士！リュウソウレッド!!

■第3話　呪いの視線
（脚本：山岡潤平　監督：中澤祥次郎）

　コウたちは、ティラミーゴとともにある洞窟を訪れる。そこにはメルトの相棒騎士竜トリケーンと、アスナの相棒騎士竜アンキローゼがいた。「騎士竜たちはそもそも自分たちの祖先が作ったものだから、言うことを聞いて当たり前」と、少々上から目線なメルトの態度に、トリケーンはヘソを曲げて言うことを聞いてくれない。ティラミーゴはそんなメルトに対し、えらそうな言い方はよくないと反発した。そして、ドルイドンに圧倒されていたメルトたちの前に突如、リュウソウグリーンとリュウソウブラックが出現。リュウソウグリーン／トワはメルトたちを弱すぎると最初から馬鹿にし、リュウソウブラック／バンバは目的が違うと馴れ合う素振りも見せないのだが……。

　このあと、長きに渡るメルトとティラミーゴの因縁はここからスタート。ティラミーゴの声を担当したてらそままさきが、たびたびメルトとの掛け合いを演じていく中でセリフを膨らませた部分も多々あったという。

　リュウソウジャー放映に先立ち、『4週連続スペシャル　スーパー戦隊最強バトル!?』に登場していたグリーン&ブラックの兄弟が、ここでようやくコウたちの前に姿を現した。この回でメルトを煽るトワの小生意気な少年の雰囲気は、今回の「VS」劇場版の咲也に対する雰囲気に通じるものがある。

■第4話　竜虎!!最速バトル
（脚本：山岡潤平　監督：中澤祥次郎）

　トワとバンバはコウたちと一緒に戦った騎士竜の姿が忘れられず、自分たちの騎士竜を探していた。一方、コウはバンバたちが仲間になって一緒に戦ってくれることを諦められず、何度も声を掛ける。これに業を煮やしたトワは、自分と勝負して勝ったら仲間になってもいいと持ちかけるが……。

　タイトルにもある通り、コウVSトワのハイスピードバトルが見どころ！……には違いないが、なぜか勝負は葉っぱを使った切り絵対決やジャンケンに横滑り。巨大戦でもマイナソーを相手にジャンケン&鬼ごっこを始める（もちろん必要があってのことだが）ユルさと、最後は初登場を果たした騎士竜タイガランスの力を得てビシッと勝利を収めるメリハリに、本作ひいてはスーパー戦隊の魅力がある。

■第5話　地獄の番犬
（脚本：山岡潤平　監督：渡辺勝也）

　トワは捨て犬を保護して世話をする少女と知り合う。前回の戦い以来、コウを認めつつあるトワは、加勢しようとして反対にマイナソーに噛み付かれ、その身に毒を受けてしまった。マイナソーを生み出したのがトワと仲良くなった少女と知り、元からその存在を絶とうとするバンバ。だが、トワはそんな兄の前に立ちふさがり……。

　命の大切さを理解し始めたトワの成長と、あくまで今まで通りシビアなスタンスを貫こうとするバンバと、これまで1枚岩だった2人の意識のズレが描かれた。

■第6話　逆襲!!タンクジョウ
（脚本：山岡潤平　監督：渡辺勝也）

　トワを蝕む毒がアスナとういにも感染した。解毒して彼らを助けるには、元凶であるマイナソーの血清が必要だが、すでに倒してしまったため血清を作ることが出来ない。しかし、倒したはずなのに倒れた人々が回復しないことから、メルトはこのマイナソーは実

は2体いるのではないかと疑う……。

この回の見どころは、何と言っても初の5人変身。いまだバンバはコウたちに心を許したわけではなかったが、騎士竜も5体揃い踏みで登場し、リュウソウジャー一丸の巨大戦を披露。

■第7話　ケペウス星の王女

（脚本：山岡潤平　監督：坂本浩一）

コウはういに遊園地を案内してもらっているとき、奇声を発するマイナソーと遭遇。さらに、新たな幹部ワイズルーが出現し、目の前に立ちふさがった。一方、バンバとトワはドルン兵に追われていたケペウス星の王女カルデナを保護。彼女ははぐれてしまった妹を探しているというのだが……。

ワイズルー初登場や元モーニング娘。の田中れいなゲスト出演など、何かと見どころの多い回だが、あえてひとつ紹介しておくなら、ティラミーゴがテレビを観て言葉を覚えたことだろう。メルトを「ナルト!」「ソルト!」と呼び間違えておちょくる定番の掛け合いもこの回から始まった。

■第8話　奇跡の歌声

（脚本：山岡潤平　監督：坂本浩一）

リュウソウジャーの助けで妹と再会を果たしたカルデナ。妹のフィータは、ワイズルーの手から逃れるとき、ドルイドンのエネルギー体を持ち出し、ある場所に隠したというが……。実はフィータに化けていたワイズルーの危険な罠がリュウソウジャーに迫る!

前回に引き続き「歌」が重要な役割を果たすエピソード。話の本筋にはあまり関係ないところでアスナが音痴であることが明かされた重要回だ。音痴ゆえに、リュウソウ族の村の祭りでも太鼓係だったアスナ。ラストで、うい&尚久の指導のもと、ボイトレを行っているが、そもそも本人は音痴であることを気にしてない模様。

■第9話　怪しい宝箱

（脚本：下亜友美　監督：柏木宏紀）

たまには遊んでおいでと尚久から宝探しゲームのイベントを教えてもらったコウたちは、会場でトワと遭遇し、合流することに。何やら様子がおかしい宝探しにメルトは危機感を持つが、宝箱でそれぞれの願いを叶えるアスナたちは忠告にまったく取り合わず……。

メルトが開けた宝箱には、かつて自分が師匠のマスターブルーに渡した手作りのお守りが入っていた。メルトが出会ったマスターは、ドルイドンの幻ではなくメルトの素直な願望が見せた夢だったのかも……。なお、アスナの願いは「無限焼肉」。清々しい食べっぷりで食いしん坊キャラをアピールした。

■第10話　無敵のカウンター

（脚本：金子香緒里　監督：柏木宏紀）

ナンパ男たちに絡まれていたアスナが通りすがりのボクサーに助けられた。そして、マイナソーが出現。そのボクサーのような動きを見て、アスナは自分を助けてくれた男がマイナソーを生んだのではないかと考えるが、他のみんなはまるで取り合ってくれず……。

公園で落ち込むアスナと、それを慰めるティラミーゴの2ショットが可愛い。そして、落下するボクサーを片手で支え、姫抱っこするアスナは頼もしい。アスナの無自覚ラッキー体質と、他者を慮る優しい心配りが知れた回。アスナをナンパする青年をスーツアクターの高田将司と酒井和真が演じている。出演当時、ツイートなどで仲間内から「チンピラにしては無駄に動きがいい」などと噂されていた。

■第11話　炎のクイズ王

（脚本：山岡潤平　監督：加藤弘之）

新たな騎士竜のディメボルケーノが出現。仲間にするため、ディメボルケーノが仕掛ける問答に付き合い、気に入られる必要があるが……?　クイズと思っていた質問が実は真っ当な問いかけで、素直に答えたコウにディメボルケーノは心を開いた。

クイズといえば物知りのメルト!と周囲から期待され、プレッシャーに潰れそうになるメルトの繊細な一面が描かれた。また、目くらましの霧を撒いて同士討ちを誘うマイナソーの攻撃で、メンバーがみんな期せずしてメルトを攻撃することに……。このあたりからリュウソウジャー内のメルトいじりが表面化してきた。また、尚久にしばしばセトーが憑依するようになる。

■第12話　灼熱の幻影

（脚本：山岡潤平　監督：加藤弘之）

ディメボルケーノが仲間に加わったことが面白くないティラミーゴ。コウにディメボルケーノよりもいいところを見せようと張り切るが、巨大マイナソーにあえなく倒されてしまった。だが、「お前が一番に決まってるだろ!」とコウに檄を飛ばされ、再び闘志を燃やし立ち上がる!　ディメボルケーノと合体したティラミーゴは、マイナソーが見せる幻影にもめげず撃破した。

敵の見せた幻影のうち、うい、アスナにはためらいを見せたコウがメルトを一刀両断。それを見てメルトが落ち込むというくだりがある。のちに重要な役割を担う「彷徨う鎧・ガイソーグ」が、この回でテレビ本編に初登場。騎士竜ディメボルケーノの封印を解き、この時点ではドルイドンに与するかのような発言をしている。

■第13話　総理大臣はリュウソウ族!?

（脚本：山岡潤平　監督：渡辺勝也）

緊急入院した総理大臣。狩野澪子には不老不死の噂があった。そんな彼女の見舞いに訪れたトワとバンバ。澪子はリュウソウ族の出身で、バンバのことをちゃん付けで呼ぶ昔からの知り合いだった。彼女は2人に、自分が生み出したマイナソーを倒すよう依頼する。

#01

ただし、「完全体になってから」という条件で……。

中越典子が澪子を演じた豪華ゲスト回。澪子はマイナソーに生命エネルギーをすべて吸い尽くされることで命を絶ち、死期が迫る最愛の男と添い遂げようとする役どころで、協力と引き換えに、行方不明になっているバンバとトワのマスターに関する情報提供を約束したが、バンバたちは完全体になる前にマイナソーを撃破。何よりもリュウソウジャーとしての使命を優先するバンバの姿が描かれている。

この回の敵・ミイラマイナソーは、本音を口にさせて仲違いを促す能力で人々に混乱をもたらしたが、互いの本音を口にすることでティラミーゴとディメボルケーノのわだかまりがついに解け、ケンカしていたメルトとアスナも、照れくさくて普段は言えない本音をアスナが告げることで仲直り。ありがとう、ミイラマイナソー。

■第14話　黄金の騎士

（脚本：山岡潤平　監督：渡辺勝也）

公園で薔薇の花を片手に美女にフラれる、残念なイケメン＝海のリュウソウ族のカナロ。めげずに別の女性にアプローチしているところをマイナソーに邪魔され怒り心頭、カナロはリュウソウゴールドに変身して立ち向かう！

海のリュウソウ族はカナロと妹の2人きりで、一族を絶やさぬため婚活に忙しいカナロは、一緒に戦おうというコウの誘いにもまったく乗り気ではなかったが、それでもリュウソウジャーのピンチに駆け付け八面六臂の活躍を披露。福沢博文アクション監督曰く、「キャラクターと2種の武器、さらに強竜装を見せつつインパクトを残す」大立ち回りで、追加戦士として登場初回から強烈な印象を残した。

また、今回からドルイドンの新幹部・ガチレウスが登場。ガチレウスとかなり相性の悪いワイズルーがしばらく前線を離れることに。

■第15話　深海の王

（脚本：荒川稔久　監督：坂本浩一）

カナロたちの親代わりの騎士竜モサレックスは、陸のリュウソウ族をとても嫌っているが、カナロは彼らを平等な目で見ようとしていた。カナロが陸へ上がったことで陸に興味津々な妹のオトも上陸。ところが、オトがクレオンに人質に取られてしまい……。

カナロの目線でコウたちについて語られる回。脚本を担当した荒川はヒロイン描写に定評が高く、初登場となったオトのキャラクターを並々ならぬ思い入れで魅力的に描写した。

■第16話　海に沈んだ希望

（脚本：荒川稔久　監督：坂本浩一）

カナロとオトは、モサレックスから「陸のリュウソウ族は戦闘的で自分たちが地球の支配を目論んでいる」と聞かされて育った。だが、オトはメルトら陸のリュウソウ族がそんな人とは思えない。コウたちは思い惑う兄妹を気分転換でショッピングに連れ出すが、くつろぐ先でドルイドンたちと出くわしてしまう。ためらいなく自分を囮にし、自分にトドメを譲るコウの姿に、カナロは彼らを信用したいと願うが、モサレックスはその想いを受け入れようとしなかった……。

座禅を組み、噴水の水を全身に浴びてモサレックスに自分の信念を訴えるカナロの姿が印象的。そして、オトがメルトにロックオン。カナロの婚活よりもそちらの成就が早いのではとファンの間で話題になった。また、海のリュウソウ族は魚並みに嗅覚が鋭いこと（メルトたちのアミノ酸の匂いで居場所をたどれるレベル！）が明らかに。

■第17話　囚われの猛者《もさ》

（脚本：下亜友美　監督：中澤祥次郎）

ガチレウスと入れ違いにワイズルーが再登場。モサレックスを捕まえるため、女性に化けカナロに近づく。連れ去られたモサレックスを救うべく奔走する中、コウたちはバンバとトワの兄弟にバッタリ遭遇。そこは2人にとって何十年ぶりかに訪れた地だった……。

劇中、入院中の高齢の女性がバンバの昔の恋人であることをにおわせる描写があり、初めて笑顔を見せたバンバの表情が印象に残る。また、「女性の頼みしか聞かない」と嘯くカナロが、子供のお願いも素通りできない人の好さを披露。この回よりしばらくオープニングに夏映画の映像が挿入された。

■第18話　大ピンチ！変身不能！

（脚本：たかひろや　監督：中澤祥次郎）

変身を解除する能力のマイナソーと遭遇し、コウたちは苦戦する。敵の口癖からマイナソーを生み出している元が「願い石」ではないかと、メルトは推測。しかし、その願い石を祀る神社の巫女にカナロが惚れていた。カナロの制止を聞き入れず、バンバは願い石を一刀両断。これがカナロの逆鱗に触れ……。

バンバとリュウソウゴールドの対峙、そこにすかさず割って入るコウ、という場面の三者三様の動きが素晴らしい。また、冒頭の高低差を使った戦闘場面のアクションは必見。変身不能回だけあって、変身前の役者たちのアクションも見応えがある。

■映画『騎士竜戦隊リュウソウジャー THE MOVIE タイムスリップ！恐竜大パニック!!』

（脚本：山岡潤平　監督：上堀内佳寿也）

6500万年前の世界からタイムスリップしてきたリュウソウ族のユノが、コウたちに「お父さんを止めて」と懇願。隕石の衝突に乗じて世界の支配を目論むユノの父・ヴァルマ。リュウソウジャーたちは時空を超え、その野望を阻止すべく戦う！

福井県立恐竜博物館の協力も得て、劇場版ならではのビッグスケールな物語を展開。ゲストのユノを北原里英、ヴァルマを佐野史郎が演じた。

■第19話　進撃のティラミーゴ

（脚本：山岡潤平　監督：上堀内佳寿也）

朝から土手を散歩し、少年たちの草野球に混ざり、子供たちと大好きな先生に会うために小学校へ遊びに行くティラミーゴ。だが、小学校がマイナソーに襲われ、助けに入ったコウやバンバたちは次々と異空間に飛ばされてしまう。どうやら校内のルールに違反すると隔離されてしまうらしい。いつもケンカばかりしているメルトと2人きりで取り残されたティラミーゴは……。

ティラミーゴが想像以上に子供たちや街の人々に受け入れられているのが意外な一幕。カナロはこの回で一目惚れしかけた女性に対し、前回の教訓を生かして薬指をチェックするように。

ちなみに、この回でトワが可愛がる犬たちはリュウソウピンクのスーツアクター下園愛弓の愛犬で、本人も飼い主役で登場。

■第20話　至高の芸術家

（脚本：たかひろや　監督：上堀内佳寿也）

コウたちと特訓するトワは、メルトから攻撃の弱点を指摘されるが聞く耳を持たない。トワとバンバは兄を探しているという少年と出会う。ワイズルーの罠にはまり、次々と檻に閉じ込められ異空間に飛ばされてしまうコウたち。1人残されたトワは、不気味な鎧の騎士・ガイソーグと出会った。意味深なことを口にしながら襲いかかってきたガイソーグは、トワがバンバから聞いたマスターの言葉と同じセリフを残して去る。1人で何ができるのか、

苦悩するトワは知恵をしぼり……。トワがゲストの少年にした、おでこを突つく仕草は、かつて兄のバンバがトワにしていたもので、ひいてはバンバがマスターブラックからされていたやりとりだ。

■第21話　光と闇の騎士竜

（脚本：山岡潤平　監督：加藤弘之）

海から一斉に魚が消えたというニュースと前後して、亡くなったはずのういの母親が買い物から帰宅する。アスナはマスターピンクと再会し、「やったー！　生きてた！」と無邪気に喜ぶが……。一方、トワはガイソーグと遭遇したことをバンバに話す。バンバはガイソーグについて何か心当たりがあるようだ。生き返ってきたというマスターピンクは、カナロの持っていたクラヤミソウルに興味を示す。そして、尚久のことを「セトー!?」と呼ぶが……。

第1話以来の登場となったマスターピンク役の沢井美優は、本作の丸山真哉プロデューサーが参加していた実写版『美少女戦士セーラームーン』の主演を務めた縁で本作に出演。ちなみに、マスターレッド役の黄川田将也、マスターブルー役の渋江譲二も同様に『セーラームーン』つながりのキャスティングであることは言うまでもない。

■第22話　死者の生命!?

（脚本：山岡潤平　監督：加藤弘之）

「私はセトー」と名乗り、コウたちの前に姿を現した龍井尚久。長らく神殿で眠っていたセトーは、尚久の発掘作業で目覚め、尚久に憑依しているというが、あまり長い間その身体を操ることはできない。亡き者たちが生き返ってくるのは生き物の生命を奪い、死者を蘇らせるマイナソーの仕業だった。これを倒してしまうと、帰ってきたういの母親やマスターピンクは消えてしまうことに……。

マイナソーを生んだのは自分なので自ら決着をつけたいというマスターピンクに、「ダメです！　今は私がリュウソウジャー！」ときっぱり言い切るアスナが印象的な回。復活を果たしたタンクジョウを再び失い、涙するクレオンにハンカチを差し出すワイズルーの姿も見られた。

■第23話　幻のリュウソウル

（脚本：下亜友美　監督：渡辺勝也）

コウはリュウソウルを並べて手入れをする中、ツヨソウルの寿命を感じていた。それぞれのリュウソウルには対応する古代の騎士竜の魂が込められており、リュウソウジャーはその力を借りて戦う。リュウソウ族たちはそれらのソウルを発掘して手に入れるのだ。コウはみんなを集め、自分たちの持っているリュウソウルをトレードしようと提案。みんな参加して盛り上がったが、カナロが持っていたカナエソウルを巡って騒動が起こることに……。

トレードを通じて個々のリュウソウルを紹介しつつ、前半のストーリーを振り返る総集編回。ちなみに、物を増やすことのできるフエソウルは能力まではコピーできない。ゆえに今回の劇場版でギャングラーの金庫を開けるためのダイヤルファイターが足りない際の切り札としては使えなかった。

この頃からオトは「メルトさん」ではなく「メルトくん」呼びに。いつの間にか2人でお茶までする仲になっているオトとメルトに穏やかではないカナロの姿が描かれた。

■第24話　恋の空手道場

（脚本：荒川稔久　監督：渡辺勝也）

カナロがドルン兵に襲われていた女性を救出。その強さに感動した女性は、カナロに「付き合ってくれない？」とまさかの一言を。父親に紹介し、家の空手道場を継いでほしいという申し出にすっかり有頂天のカナロ。コウたちはみんなカナロを応援し、強さを極めるための修行に付き合う。川面を跳ねる魚を見てドルイドンと戦うヒントを得たカナロは、美しく宙を舞い勝利を収めたが……。

ラストでオトがカナロに飛び蹴りを入れるシーンは、オト役・田牧そらのアクションがしたいという希望を知り、脚本の荒川が取り入れ実現。リュウソウブラックのスーツアクター・竹内康博が補助を担当した。この回でカナロが恋の成就を願う神社は、今回の劇場版でモサレックスたちとの訣別を覚悟したカナロとオトが夜を明かす神社。

■第25話　踊るクレオン

（脚本：金子香緒里　監督：渡辺勝也）

ういチャンネルに流すため、ケボーンダンスを踊るコウ、メルト、アスナ。だが、メルトが失敗ばかりでなかなか上手くいかない。ふと見たネット動画でなんとクレオンがダンス動画を配信していたのだが、それを見てしまったういは……!?

クレオンの動画を人間攻略に使うワイズルーと、動画の人気にやりがいを感じるクレオンの温度差が見どころ。「ういは昔から頑張りすぎちゃうクセがあって、それで友達ができなかったんだ……」と、コウたちを相手に口にする尚久にしみじみさせられる。

■第26話　七《なな》人目の騎士

（脚本：山岡潤平　監督：柏木宏紀）

涙する女性を慰めようとしていたカナロが、ナダと名乗る男と遭遇。マスターレッドのもとで修行を積んでいたリュウソウレッドの候補だったが、結局レッドには選ばれなかったというナダは、現リュウソウレッドのコウに興味津々だ。実際、修行を積んだだけあって、ナダは変身せずとも相当の手練れだった。マイナソーとの戦闘中に「優しさをなくす」攻撃を受けてしまったコウが暴走を始めたかに見えたが、メルト曰く「コウはもともと戦いになると周囲が見えなくなる性格だった」とのこと。仲間を思いやれない状態で、自分は一緒に戦う資格があるのかと悩むコウに、ナダがかけた言葉は……？

コウ、メルト、アスナの出会いと幼少時代が明かされた回。メルトは、コウの暴走を諌めるためにアスナが連れてこられたと理解していたが、コウが暴走を止め心に優しさを培ったのは、メルトがアスナを思い遣る様を見てコウが己を顧みたから。本書48～49ページのキャッチに引用したコウのセリフは、シリーズを通して仲間を信じ一丸となって事にあたるリュウソウジャーを象徴する名ゼリフだろう。

また、この回から登場したナダは、飄々としつつも実力者の片鱗を見せ、以降、リュウソウジャーに大きく影響を与えていく存在となる。

■第27話　天下無双の拳《こぶし》

（脚本：山岡潤平　監督：柏木宏紀）

尚久が調べ上げて作った古代生物が祀られていると思しき場所を示す地図と、ナダが村を飛び出したときに持ち出したという地図。2つを見比べて未知の神殿を見出したコウたちは、訪れた先で騎士竜パキガルーを発見し、息子の騎士竜チビガルーを探してほしいと頼まれる。チビガルーがどうやら地中にいると感じたコウは、ためらいもなくその身を地下に投じようとするが、ナダから「リーダーとして率先して無茶をするな。他の仲間に割り振れ」と言われ……。

リュウソウジャーの中の「レッド」というポジションについてコウの考えが語られる回。リーダーではなく仲間だといういかにもコウらしい意見と、それを疑いなく信じ、ともに歩むアスナ、メルトとの絆に、改めてリュウソウジャーらしさが感じられる。ナダが参加したことで、リュウソウジャーのなんたるかが示されることが増えてきた。

■第28話　ミクロの攻防

（脚本：荒川稔久　監督：柏木宏紀）

ナダと鍛錬を重ねるコウは、「いざというときに心が乱れがちでは?」という指摘を受ける。クレオンが現れ、アスナの体内にミクロサイズのマイナソーを仕込んだせいでアスナが苦しむ。コウはチイサソウルを使いメルトとともにアスナの体内に入ったが、マイナソーがアスナの心臓に寄生してしまって倒すことができない。絶体絶命の状況にナダはドッシンソウルを使えとアドバイスするが……。

意思を持ち、強さを求めさまよう鎧・ガイソーグに憑りつかれていたのは、なんとナダ! という重要回。リュウソウジャーと敵対しているときのガイソーグにナダの意識はあるのかないのか? ナダがコウたちに受け入れられつつある状況でのこの展開を、ファンはヤキモキしながら見守った。

■第29話　カナロの結婚

（脚本：たかひろや　監督：坂本浩一）

とうとうカナロを受け入れてくれそうな彼女が見つかった! エコロジーなカナロを好ましく思ってくれる得難い存在だが、唯一のお願いは「危ないことをしないこと」。彼女と結ばれるにはリュウソウジャーを辞めねばならない。悩むカナロにナダがある助言をするのだが……。

カナロが唯一女性をフった回。ただし、そこはまたも自分がフラれたかのようにふるまうカナロの優しさが光る。この回でカナロの彼女役を務めた山本ひかるは、『仮面ライダーW(ダブル)』の「所長」こと鳴海亜樹子役でおなじみ。作中で刑事の照井竜／仮面ライダーアクセルと結婚しているため、この回の役どころが「父親が警察官」と口にしたことから「まさか2人の娘かも!?」と一部のファンの間で楽しい想像に花が咲いた。

■第30話　打倒!高スペック

（脚本：下亜友美　監督：坂本浩一）

前回の結婚騒動が尾を引いたのか、カナロは結婚相談所へ。そこで、よくある条件として「高身長、高学歴、高収入」をアドバイスされる。一方、海中で出会った騎士竜ピーたんを連れてオトがメルトたちを訪ねてきた。ピーたんに触発され姿を現したセトーが、彼について語り始め……。そして、ガイソーグに支配されたナダは、コウを背後から斬りつける!?

翼竜の騎士竜・ピーたんことプテラードンが初登場。この回で婚活アドバイザーとして登場する女性は『忍風戦隊ハリケンジャー』の野乃七海／ハリケンブルー役・長澤奈央が演じた。

■第31話　空からのメロディ

（脚本：山岡潤平　監督：坂本浩一）

ナダに斬りつけられ深手を負ったコウ。メルトがカガヤキソウルで治療を試みたが、その傷が癒えることはなかった。空からマイナソーが出現し、コウたちはキシリュウオーで立ち向かうが太刀打ちできない。そこでピーたんに助けを求めたが、彼は過去の何者かの封印のせいで動くことができないでいた……。

ナダ、まさかの（ある意味、ついに!の）直接行動で一気に不穏な空気が漂い、いよいよファンがヤキモキさせられた悶々回。細かいところでは、海のリュウソウ族は鼓膜が三重であることが判明。

■第32話　憎悪の雨が止む時

（脚本：山岡潤平　監督：上堀内佳寿也）

ナダはガイソーグに完全に支配されたわけではない、と確信するトワ。それを聞いたコウたちは、ナダを救うにはどうすればいいのか頭を悩ませる。そんな中、人々を憎しみで支配するマイナソーが出現。攻撃を受けた人間たちは争い、街中が混乱に陥る……。

強さを求め外道の力に頼ってしまっていたナダが、コウたちのまっすぐな信頼に触れ、ようやく「不屈の騎士」として覚醒。ガイソーグをナダから引き剥がす策としてコウが自らの身を呈した際の笑顔は、27話でも見せた先陣を切って事にあたるコウの信念に重なる。ここでナダが口にする「お前らのことがホンマ嫌いや」というセリフは上堀内監督により現場で足されたもの。ラストですっかりガイソーグとなり、ガイソーケンで背中まで掻いて見せる余裕のナダにファンはホッと胸をなでおろした（……と思ったら衝撃の次回に続く）。

■第33話　新たなる刺客

（脚本：山岡潤平　監督：上堀内佳寿也）

ナダを交え卓球で盛り上がるコウたち。ハッスルしすぎて倒れた尚久を救護室に運んだトワとカナロは、ドルイドンの新幹部ウデンと遭遇し、その体内に取り込まれてしまった。彼らを探しに出たコウ、メルト、アスナも同様の目に遭い、しかも取り込まれたコウたちは技を盗まれ、どんどん力が吸い取られていく……。

リュウソウジャーの仲間となったナダが、今までに周囲やコウたちを羨み、ときに妬ましく思っていた心情を吐露する場面が印象的。ナダが敵を前に名乗りを決めようとするもガイソーケンに言われてしまうお茶目な変身シーンも見どころだ。ちなみに、変身後の決めゼリフは「不屈の騎士、ガイソーグ。俺の騎士道、見せたるわい」。

冒頭の和やかな光景、ユーモラスな初変身を挟み、まさかのナダ退場回となった。上堀内監督入魂の演出も相まって、前回から放送休止を一週挟んでの急展開に、SNS上でナダのファンのみならずリュウソウファンの悲鳴が飛び交った。

■第34話　宇宙凶竜現る!

（脚本：荒川稔久　監督：加藤弘之）

ナダを失い、ふさぎ込んでいるように見えるコウ。元気づけるためカナロとアスナは漫才を披露するが、その顔は晴れない。ナダのソウルはマックスリュウソウルとなり、コウはそれを受け継いだ者として今後の戦いを真摯に考えていたのだ。そして、ガチレウスを蹴散らすが、必殺技のエバーラスティングクロウをコピーされてしまう! 長老から招待されたコウたちは、新たなる脅威に備え、かつてセトーが用意したという試練に挑戦する。

冒頭からクレオンを取り合うワイズルーとガチレウス。さらに新幹部のプリシャスが登場。プリシャスはガチレウス、ワイズルーの心臓を手中に収め、彼らを無理矢理従わせる。

冒頭のカナロとアスナの漫才は演じる兵頭、尾崎の出身県を反映した方言で披露した。長老が経営するカフェにウエイトレスのオトが登場。オレンジジュースに砂糖を入れようとしているトワの仕草に、一部のファンの間で「甘党なの?」「バンバが珈琲に入れていたから真似を?」など推論が飛び交った。

■第35話　地球最大の決戦

（脚本：荒川稔久　監督：加藤弘之）

前回のガチレウス戦で必殺技をコピーされてしまったコウは、自分がもっと強くなる必要があると試練の断崖に挑むことに。一方、カナロは、究極の合体が封印された理由をディメボルケーノから聞かされる。そのあまりの威力に、モサレックスが大事な人まで傷つけてしまうことを恐れたというのだ。カナロはそんな恐れを抱かせないくらい自分が強くなることを決意し、試練に挑む。だが、みんながそれぞれの弱さを克服するための試練を与えられる中、コウの前にだけは何も現れない。

焦るコウが目にしたものは……!?

厳しい展開の回だが、試練を乗り越えたバンバがゆで卵をトワと分け合って食べたり、最凶マイナソーを倒して長老のカフェで乾杯するコウたちの中で、メルトだけオトの贔屓てんこ盛りなブルーハワイフロートなことにヤキモキするカナロなど、微笑ましい場面もそこここに挟まっている。

■**第36話　超速のボディーガード**

（脚本：下亜友美　監督：柏木宏紀）

コウたちとの特訓に駆け付けるカナロが、目の前で女性の落としそうになったソフトクリームを拾い感謝される。そのまま一目惚れして声を掛けようとするが、その女性はなんとトワと待ち合わせをしていたらしく……。トワは彼女にリュウソウルを取られてしまい、その代わりに一日ボディガードをお願いされていたのだ。

ふと彼女から「使命を遂げたあとはどうするの？」と投げかけられ、すぐに答えられなかったトワが、同じことをコウに訊くと「俺はもっと広い世界を見てみたい」と回答。このコウの答えが、あるいは最終回のトワの旅立ちに影響しているのかも。

予告でも流れた、足元のリュウソウケンを蹴り上げて掴むシーンや、特訓前に1人で運動するリュウソウグリーンの流れるようなアクション描写は見応えあり。また、アバンでは「ときめかない」と悩むワイズルーと茶々を入れるクレオンのやり取りが描かれ、この頃には敵ながら人気の高いこの2人からの導入も増えてきた印象。

■**第37話　誕生！最恐タッグ**

（脚本：金子香緒里　監督：柏木宏紀）

ティラミーゴが子供を丸飲みしようとしている!?　怒った母親が龍井親子をなじるが、ティラミーゴは言い訳する気配もなく、コウともケンカのようになってしまう。そこへガチレウスが出現。見えないミサイルに攻撃されて、リュウソウジャーたちは近寄ることもできない。メルトたちが見えないミサイルを探る中、コウはティラミーゴの様子がおかしいと言い出し、騎士竜とリュウソウジャーは誰よりも信頼し合わなければならないと憤る。

演者たちの日頃の鍛錬の成果か、変身前の生身のアクションが増えてきていて必見。マックスリュウソウレッドになったコウが、ティラミーゴの背で名乗る姿がカッコいい！

■**第38話　天空の神殿**

（脚本：たかひろや　監督：坂本浩一）

セトーに始まりの神殿を示されたコウたちが地図の場所へ赴くと、空中に神殿が出現。コウとカナロだけが神殿に転送された。案内役のユノの残像から先へ進むよう指示を受けたコウたちは大いなる力の化身に立ち向かう。大いなる力の化身から「使命と仲間、どちらを取るか」と問いかけられたコウは、悩んだ末に「仲間」と答えた。一方、カナロの選んだ答えは「使命」。2人は、それぞれの答えを懸けて戦えと告げられ……。その頃、マイナソーに遭遇したトワたちから連絡を受け、メルトとアスナもともに戦うが苦戦を強いられる。そこへ、天空の神殿からリュウソウカリバーを手にしたコウとカナロが駆けつける……！

天空の神殿で案内役を務めるユノは、夏の劇場版に登場したリュウソウ族の先祖。コウとカナロが戦った場所は、ロケ地の雰囲気も相まって『ルパパト』第32話の圭一郎とノエルの決闘にも重なる雰囲気。

■**第39話　奪われた聖夜**

（脚本：たかひろや　監督：坂本浩一）

クリスマスシーズンだというのに、クリスマス的なものが次々とお正月なものに変えられてしまう。お正月も楽しいが、その前に楽しみにしていたクリスマスが奪われ、ケーキを楽しみにしていたアスナたちは怒り心頭だ。児童館の世話をする女性を好ましく思っていたバンバも、彼女が児童館のために用意していたクリスマスが奪われたことに激しい怒りを感じていた。

坂本浩一監督といえば役者たちの変身前アクション！　期待以上のアクションシーンは、クリスマスを奪われた怒りという動機のせいかユーモラスな印象も加味され、より見応えが。特に、ケーキを奪われたアスナの怒りはすさまじいものがあった。クレオンがリュウソウブルーに地獄突きをお見舞いするシーンがあるが、今回の劇場版ではオトと初美花がクレオンから逃げるシーンで、逆にオトがクレオンに地獄突きを披露。オトによるちょっとしたメルトの敵討ちと言えなくもない。

冒頭でワイズルーにピザを届けているのはリュウソウグリーンのスーツアクター・蔦宗正人。人質のマジシャンはリュウソウレッドの伊藤茂騎が演じている。リュウソウジャーではスーツアクターたちのカメオ出演が通常よりも多いかもしれない。ラストシーンでさりげなくツリーに鮭も飾られているのは、1年前（『ルパパト』）のクリスマス回に登場したギャングラー、サモーン・シャケキスタンチンを偲んでかも。なお、この回でガチレウスは散ってしまった。

■**第40話　霧の中の悪夢**

（脚本：山岡潤平　監督：たかひろや）

悪夢にうなされるメルト。それは幼い頃によく見ていたマイナソーに襲われる夢だった。濃霧に巻かれたアスナたちが不安に思うことが次々と現実になっていってしまう。アスナは太り、トワは自慢の足が思うように動かない。コウたちの前に現れたマイナソーは、メルトが見る悪夢の中の恐怖が具現化したものだった！　リュウソウカリバーが抜かれたことでエラスが復活すると告げるプリシャス。エラスとはいったい……？

この回では、メルトがリュウソウカリバーを使用。マントをなびかせ「叡智の騎士」を名乗るメルトの佇まいは必見だ。また、バンバの回想の中でマスターブラックの後ろ姿が登場。これまで脚本で参加してきた、たかひろやが今回と続く第41話では監督を務めた。

■**第41話　消えた聖剣**

（脚本：山岡潤平　監督：たかひろや）

リュウソウカリバーがなくなってしまった！　慌てふためいて探すコウたちだが、落ちていた髪飾りからオトが持ち出したのではというメルトの推理が的中。持ち出した先は現在撮影所で働いているミヤのもとで、ミヤは海のリュウソウ族出身でカナロの元婚約者だった。事情を知り、しばらくミヤにリュウソウカリバーを預けることにしたコウたちは、請われるまま映画に出演することになるが……。一方、ガチレウスと入れ違いにドルイドンの新幹部サデンが登場。プリシャスと語らう姿を見て、荒れるクレオンであった。

自分の手柄を奪おうとするサデンからリュウソウカリバーを守り、迷いつつもコウに投げ渡したクレオンと、そんなクレオンを驚き見つめるリュウソウレッドのセリフなき芝居は必見。

予告でも話題になったコウたちリュウソウジャーの凛々しい黒服姿がお披露目。特にバンバのシーンなどはまさしく某バラエティ番組の演出を彷彿とさせた。劇中に登場する監督のファッションは本作のメイン監督・上堀内佳寿也を模したとのこと。カナロの元婚約者・ミヤ役を務めたのは『仮面ライダーフォーゼ』でクイーンこと風城美羽を演じた坂田梨香子。

■**第42話　決戦のステージ**

（脚本：下亜友美　監督：加藤弘之）

バンバとトワがドルイドンのアジト

を発見した。駆けつけたコウたちは、勝負を懸けたワイズルーとマイナソーの攻撃に遭い、ショーの世界に取り込まれてしまった！　一幕はなんとワイズルーの歌とパフォーマンスに合わせ、メルトとトワが衣裳を着てのダンス。2人を助けようとしても出演者以外はステージに上がることができない。二幕目はアスナとカナロによる「ロミオとジュリエット」。物語を進めると互いに命を落としてしまうことに2人とも気が付くが、舞台の進行を止めることはできない。コウたちは焦り、なんとか止めようとするが……!?

声優の緑川光とスーツアクターの草野伸介がともに持ち味を全開し、パフォーマンス大好きなワイズルー真骨頂の展開となった。敵ながら愛されたワイズルーはここで〝一旦〟退場となるが、倒れるワイズルーの前に立ちふさがって守ろうとするクレオンと、クレオンに「勝負はもうついた」と静かに語るコウのやりとりが心に沁みる。また、この放映からオープニングに今回の「VS」劇場版の映像が挿入された。

■第43話　ドルイドンの母
（脚本：山岡潤平 監督：加藤弘之）

エラスが新たなドルイドンの幹部ガンジョージを生み出した。プリシャスは自分の弟ができたと喜び可愛がる。一方、バンバは1人修行をしながらマスターブラックのことを思い返していた。ドルイドンを生み出すエラスの存在を知ったコウたち。バンバは過去にマスターブラックの口からその名を聞いたことがあるという。コタエソウルを使い、当時の記憶をバンバから聞き出すコウたち。なんとマスターブラックはバンバにリュウソウブラックを授けたあと、村人たちを叩きのめしバンバにすら剣を振るって姿を消していた。しかも「エラスを守らなければ」という言葉を残して。バンバが他人を信じなくなった原因がマスターだと教えられていなかったことに激昂するトワ。エラスはリュウソウカリバーで封印されていたことを知り、コウたちは激化していく戦いに備え特訓を重ねるが……。

副次的ではあるが、グリーンリュウソウルをマスターブラックが預かっていたこと、それをナダではなくトワに授けるという話もここで語られている。「戦いが終わったら何をしようか」と語るコウたちの話題に対する「遊園地でゴーカート対決しない？」というアスナのセリフは、リュウソウジャーおはなしCDからネタが拾われている。

■第44話　試されたキズナ
（脚本：山岡潤平 監督：坂本浩一）

戦いの行方を心配し、コウたちのあとをつけてきたオトが、ドルイドンに捕まり人質に！　リュウソウカリバーを渡せと迫るサデンを、コウとメルトが見事な連携プレイで撃退。コウたちはエラスを倒そうとするが、プリシャスが街を破壊していると聞き、コウとアスナはリュウソウカリバーをカナロに託して街に向かう。オトはピーたんに助けを請うが、ピーたんはかつて自分を封印したプリシャスが怖くて堪らなかった。一方、エラスのもとに向かうカナロたちの前に立ちふさがるサデン。その正体はマスターブラックだった!!

いよいよ追い詰められたコウとアスナの前に覚醒したプテラードン（ピーたん）がオトを乗せて現れるのだが、その際にアスナが言った「いつもいいときに都合よく来るでしょ？　それが仲間！」というセリフが印象に残る。この回で、エラスが生んだキング級の幹部ヤバソードを演じたスーツアクターは浅井宏輔。渋い武将モチーフでありながら、転がり生まれ身体を丸めて親指をしゃぶる赤ちゃんぶりが、登場時からインパクトありすぎ。

■第45話　心臓を取り戻せ
（脚本：山岡潤平 監督：坂本浩一）

マスターブラックは、300年ほど前にプリシャスと戦ったとき、偶然封印されたエラスを発見。調べるうちにエラスを封印しているものは神殿のリュウソウカリバーで、プリシャスはその封印をリュウソウ族を使って破ろうとしていることを知り、その計画を止めるためサデンに成り代わりドルイドンに潜り込んでいた。その話を聞いたティラミーゴも、自分たちが封印されたのはリュウソウカリバーの力を復活させるためだったと思い出し……。

最終回さながらの生身アクションからの名乗り、変身、ナパーム爆発まで、大迫力の戦闘場面を披露。ここから最終決戦までほぼ半裸状態のバンバの姿が、戦いの強烈さを感じさせる。そして、とうとうバンバたちの前に姿を見せたマスターブラック。演じる永井大は『未来戦隊タイムレンジャー』で浅見竜也／タイムレッドを演じた大先輩だ。当時から評判の高い切れのあるアクションも健在。

■第46話　気高き騎士竜たち
（脚本：山岡潤平 監督：上堀内佳寿也）

突然、敵味方にかかわらず攻撃を仕掛け始めたヤバソード。「ドルイドン、倒ス」「リュウソウ族、倒ス！」と暴れ回るヤバソードに衝撃を受け、プリシャスはエラスを問いただすが、エラスに反応をもらい驚きつつもその意に従う。エラスがいる限りドルイドンが生まれ続けるのなら、そのエラスを封印すればいい、そのために自分たちの力を使えというティラミーゴ。それは騎士竜たちも封印するということで、コウはそんなのはいやだと抵抗するが……。

コウと肩を並べ、大好きな街並みを見下ろしながら「コウ、お前のことが大好きだ。最初は勢いだけのバカなヤツだと思ってた」「大丈夫、どこにいてもソウルはひとつだ」と励まし、背中を押す相棒騎士竜ティラミーゴの姿は涙なしでは見られない。ちなみに、ここにきてワイズルーが復活。そして、ついに尚久／セトーがリュウソウブラウンに変身した。ガイソーグを模した茶色い姿にアスナが戸惑い、「リュウソウ……ちゃいろ?」と口走ったり、ユーモラスな活躍（?）で終盤のシリアス展開に笑いを生みメリハリをもたらした。また、プリシャスの口からリュウソウ族とドルイドンの関係……どちらもエラスから生み出された存在だという衝撃の事実が語られた。

■第47話　幸福と絶望の間《はざま》で

（脚本：山岡潤平　監督：上堀内佳寿也）

寝ぼけていたコウは尚久からおつかいを頼まれた。街は穏やかな日常の光景で、久しぶりに出会ったナダと卓球で盛り上がる。カナロは結婚式のために彼女と教会を下見し、バンバはマスターブラックに修業の成果を褒められ、トワは世界に飛び出る夢を語り、アスナは大食い完食を果たし、メルトは遠巻きに女性に噂されまんざらでもない……のだが、何かが足りない。それは……？　ぼんやりと欠けているものに気を取られているところを今度は本当にクレオンに起こされるコウたち。プリシャスを取り込み、この星を作り直すと宣言したエラスの光を浴びて人々は眠り続け、その間に街はどんどん破壊されていく。無力を痛感させられる圧倒的な力と目の前で荒廃していく世界……眠らされていた間に見た幸せな夢を思い、人々にとってはこのままのほうがいいのではないかと弱音を吐くカナロだったが……。

戦いに向かおうとするリュウソウジャーの中で唯一、このままでいいのではと弱音とも言える問いかけを口にするのが、争いを嫌い陸から去った海のリュウソウ族代表のカナロというところにキャラクター配置の妙を感じる。

■最終話　地球の意思

（脚本：山岡潤平　監督：上堀内佳寿也）

決意も新たに騎士竜たちと全力でエラスに立ち向かうリュウソウジャー。コウは騎士竜たちの力が封印されたリュウソウカリバーを、みんなの想いを込めてエラスに突き立てたが、あと少しのところで剣が折れてしまう。騎士竜たちの力を使い切ったためソウルも力を失い、もはや変身もできない。コウはエネルギーを欲するエラスにその身を貫かれ息絶えた。だが、コウを失っても心が折れないリュウソウジャーたち。その意気に応じ、わずかながら残っていた騎士竜たちのソウルが復活！　ついに戦いは最終局面を迎え……。

エラスの体内に取り込まれてしまったコウは、エラスとの対話から「愚かだから学ぶ。みんなと一緒なら立ち上がれる。俺たちは逃げない」と改めて誓う。それは他のみんなも同じ思いだった。そしてコウは、完全な存在ゆえ孤独なエラスに対し、仲間と協力し未来を紡いでいく素晴らしさを説く。前週とは対称的に静かで穏やかとも見える最終決戦。それこそが、仲間を何よりも大事にするリュウソウジャーならではの結末だと声を大にして言いたい。

■シアターGロッソ公演

シアターGロッソのこけら落としから10周年、２０１９年3月からスタートした『騎士竜戦隊リュウソウジャーショー』は、プロジェクションマッピングやワイヤーアクションをさらにパワーアップした演出で客席を沸かせた。特にゴールデンウイークを挟んでの第2弾公演は、「シアターGロッソ記念公演」と銘打った特別公演。ある意味Gロッソが主役と言っても過言ではない展開に加え、日替わりでここ10年の歴代レッドがゲスト出演が実現し、直に見ることがなかなか叶わない「推しレッド」たちの活躍に、多くのファンが連日劇場へ通い詰めることに。第2弾のリュウソウレッドを浅井宏輔が演じ、新たな「リュウソウワールド」を繰り広げた。

第3弾公演からリュウソウゴールド／カナロが登場。客席に向かって婚活するのではという予想を裏切り、司会のお姉さんに運命を感じていたが、お姫様抱っこされるお姉さんを羨ましく思うファンも多かったのでは。

第4弾公演では、なんとステージに動いて喋るティラミーゴが登場！　実際に見ると想像以上に可愛いと好評を博し、握手会にも参加してファンの喝采を浴びた。また、この公演は例年通り途中からテレビのキャストも参加する「素顔の戦士」公演となるため、コウとティラミーゴの掛け合い、メルトとティラミーゴの口喧嘩なども客席の前で繰り広げられた。ちなみに、同じく第4弾からガチレウス役にはテレビでも本役のスーツアクターを務めた森博嗣が、演出スタッフとしては、テレビ本編のティラミーゴ役スーツアクター・おぐらとしひろが参加。ティラミーゴを知り尽くす立場から演出のアイデアが広がったという。

第5弾公演ではアプローチをガラリと変えた客席参加型の演出にシフトチェンジ。バンバやアスナたちから直接客席に応援を要請され、客席の子供も大人も腕を振り上げて声を掛けたり、手を叩いたり、リュウソウジャーたちへの応援を楽しんだ。第5弾ではテレビ本編に参加していたスーツアクターの高田将司がリュウソウブルーを演じ、舞台にさらなる厚みをもたらした。

「俺は、お前らの、そういうところが、……ほんまに……嫌いや…」

長田成哉 as ナダ

強さを求め紫の鎧を纏う「不屈の騎士」

GAISOULG 07

長田成哉

『騎士竜戦隊リュウソウジャー』において、その登場話数以上に重要なポジションを担い、劇中のキャラクターと番組を観ているファンに忘れがたい強烈な印象を残したリュウソウ族の戦士・ナダ。〝レッド〟を目指し、そして〝レッド〟に選ばれなかった男が抱えた闇と、その先に取り戻した光――演じた長田成哉が、ナダという役への想いと、ナダとして生きた現場の日々を赤裸々に語る、ファン必読の約1万字インタビュー！

取材・構成◎齋藤貴義

ナダという役との巡り合い

――第26話から33話まで全8回と、登場話数こそそんなに多くはありませんが、『騎士竜戦隊リュウソウジャー』の物語にとってナダというキャラクターは欠くことのできない存在となりました。まず、ナダという役を演じるに当たって、最初にどんなことを考えられましたか？

長田　最初に台本を読んだときから、この役はこれまで自分がやってきたことを全部ぶつけられるな、という感じがあったんです。内心、いろいろ抱えているものがあって、ガイソーグに心を乗っ取られちゃったんですけど、その境遇が「自分と通じるものがたくさんあるな」と。だから、役作りをするというよりも、自分の中にあるものをナダに投影して、ほぼほぼ自分に近い感じでいたら今回の役は成立するんじゃないかなと思って。その見込みは当たっていて、短い期間でしたけど、わりと早い段階で役にフィットすることができました。

――「自分と通じるものがたくさんある」というのは、具体的にどういったところでしょうか？

長田　俺はこれまで、どちらかと言うと先輩の俳優さんたちと仕事をすることが多かったんですが、リュウソウジャーのレギュラーメンバーはみんな若い子たちでしょ？　その若いパワーに自分の今までの10年近く仕事をさせてもらった経験をぶつけていったら、彼らはどういうリアクションをくれるんだろうか？　と。それは楽しいことでもあるんですが、彼らの持っている「キラキラしたもの」をもらえばもらうほど、ナダも俺自身も「自分にはこの輝きはない」と思いながら、その輝きを羨ましいと感じていくんです。もちろん自分でやってきたことに対する自信というのは持ってるんですよ。ナダにだって剣術の腕だったり、戦いに関する強さのレベルの高さへの自信というのはあるので。それでも結局、華がないというか、スター性がないというか……「選ばれし者」という点において彼らと自分とは違うなと感じてしまう。そういうところでナダの心情と自分との感覚をシンクロさせていましたね。

――その感覚は、撮影現場でも常に感じられていたんですか？

長田　芝居をする相手に対しても、コウでもあり(一ノ瀬)颯でもあり、バンバでもあり岸田タツヤでもあるという、それぞれ役をシンクロさせて見ていたので、ナダとしても俺としても彼らのエネルギーを全部もらえたという感じです。それは、今まで自分がやってきた仕事の中でも経験したことのない感覚でした。俺はそのエネルギーを受け止められるのか？　という。そこで、長田成哉としてはそれを受け止められた気分はあるんですけど、ナダは受け止めるのが怖くて逃げていたというところが違うくらいで……そのくらい自分とナダっていうのは近い存在だったんです。自分がちょうど29歳と30歳をまたぐタイミングだったというあたりも完璧だったと思います。役者としていろいろ考えることがあった時期でしたからね。

――出演を終えてみて、今はどんな心境なんですか？

長田　俺は仕事が終わったらスパッと気持ちも終われるタイプなんですけど、ナダに関しては意外と引きずっちゃって(笑)。というのも、自分の出番が終わっても『リュウソウジャー』のドラマは続いてるじゃないですか？　だから、ナダが倒れたあと、彼らはどんな影響を受けているのかとか気になっちゃって、日曜日になるとやっぱり観ちゃうんですね。しかも、流し観とかじゃなく映画を観る感じでちゃんと座って観る。そうすると、要所要所でナダの名前が出てくるんですよ。ストーリーの中にナダが影響を及ぼしていて、そこにまだソウルが生きてるんだ！　ということがわかってくる。そうなると余計また引きずる(笑)。だから、いまだ僕はリュウソウ族の状態にいるという感じです。他のメンバーは番組が終わってリュウソウ族じゃなくなった瞬間、どういう気分になるのかな？　俺が8話の出演でこのぐらいの感覚ですけど、彼らはもっと長くやっているわけですからね。彼らが終わったあとの喪失感というか……リュウソウ族の力が抜けたみたいなところで、どんな気分になるのか、それが非常に気になります(笑)。

――ナダの退場後に、ツイッターでもちょっと寂しさのあるつぶやきをされていましたよね。そして、それに多くの特撮ファンが反応していました。

長田　特撮のファンの方のすごいところって、俺の演技から台本の考察まで含めて、「先の先ぐらい」を読んでたりするんですよね。そういう書き込みをSNSで読むと、「確かにこういう考え方もあるな」って思えるんです。そこまで深く観て、深い考察をしてくださってるんだなと思うとすごく嬉しいんですよ。子供たちにとっては、ナダ編って「キャラクターが消えた」「レッドが強くなった」という、すごくわかりやすいパワーアップのエピソードだったと思うんですけど、一方でナダの最期を未だに引きずってくれている人がいるというのはありがたいことです。まさか「ナダロス」なんて言葉が出るとは思っていませんでした。だからこそキャラクターをおろそかにはできないと思いますよね。ガイソーグって、最初に登場した『4週連続スペシャル スーパー戦隊最強バトル!!』も合わせたら、けっこう引っ張ってるキャラクターですから。その正体としてのナダを見た特撮ファンに、「なんだよ、正体がこんなヤツ？」「大したことないな」って思われたら絶対いやだし。そういう意味でも、自分の持っているものすべてを打ち込んで演じられてよかったなと思います。

ナダの「関西弁」と「衣裳」

──そもそも、これまでスーパー戦隊シリーズについて、どんなふうに捉えられていましたか？

長田　俳優として関わったのは、『動物戦隊ジュウオウジャー』で1回ゲスト出演（第14話「ウソつきドロボーおバカ系」）させてもらって以来ですが、小さい頃からヒーロー番組は基本的に好きでしたよ。世代でいうと、観ていたのは『恐竜戦隊ジュウレンジャー』とかです。Gロッソのリュウソウジャーショー第4弾のゲストがジュウレンジャーだったとき（2020年1月公演）も観に行きました。自分が俳優として一番最初にできた友達が仮面ライダーアクセルを演じていた木ノ本（嶺浩）なんですけど、俺はちょうど朝ドラ（『てっぱん』）をやっていた頃で、木ノ本が仮面ライダーに変身することになったと聞いて「いいなー」ってずっと言ってましたからね。そのときは、やっぱり特撮ってカッコいい若い子たちが出てくるもので、自分は年齢的に仕事で「変身！」とか無理だと思ってたんです。そしたら今回、ナダの話が来て！　最初にオファーがあったとき、リュウソウ族だけど変身はしないサポートキャラくらいだと思って、マネージャーさんに「変身はしないんでしょ……？」って聞いたら「それが変身するのよ！」と（笑）。それで、ガイソーグのスーツの写真を見てみたら、これがめっちゃカッコいい！　「これに変身できんの？　マジで？」と思って。「これはもう最高だ！」って、ホントその一言でしたね。

──登場時は、とてもあのガイソーグの正体とは思えないほど陽気なキャラクターでしたけどね。

長田　そうですね（笑）。最初の段階で「関西弁で」という話はあったんですよ。『科捜研の女』で一緒に仕事をしていたプロデューサーの土井（健生）くんが僕をキャスティングしてくれたんですけど、「長田さんの関西弁が、メンバーのお兄ちゃんみたいな感じになるんじゃないかなと思ってキャスティングさせてもらったんです」と話してくれました。ただね、最初にあのカッコいいガイソーグの写真を見ていたので、何かエラーが起きて（笑）。このキャラクターと関西弁って合うの？　と思ってたんです。しかも、ガイソーグに意識を乗っ取られているときは関（智一）さんの声だから、めちゃカッコいいじゃないですか。

──そこは、あきらかにギャップがありますよね。

長田　ただ、そのことで1回すごくシビれたことがあって。32話でガイソーグが「一番強いヤツは誰だ」って襲いかかってくるシーンがあるんですけど、そこで関さんが一箇所だけ語尾を上げて「お前か？」って関西弁で言ってくれてるんですよ。そこが、たぶんナダの自我とガイソーグの怨念の中間の芝居なんですね。それをオンエアで見て「関西弁だ」って気づいて感動しちゃいました。自分は兵庫県の人間なので、感情が入りやすいのはやっぱり関西弁なんです。確かに、なぜリュウソウ族の中でもナダだけ関西弁なのか？　ってところはあるんですけど、そこは住んでいた地方によって言葉が違うんじゃないかと思ってやっていましたね。ナダってバンバと出会う前にもいろんなマスターのところを転々と旅をしてたと思うんですよ。服装もリュウソウ族の刺繍が入ってるみんなと違って、旅人みたいな格好ですし。

──確かに、衣裳にもそういうエッセンスがありました！

長田　衣裳はかなり自分の好みを反映させていただいたんです。最初にズボンと靴が決まって、中にメッシュのタンクトップみたいな物と、そこにレッドの系譜というのがあるから赤いのを入れようということになって……。そうやって考えているときに、パッと目に付いたのが黒いピラピラしたやつ（笑）。謎めいていてカッコいいし、それを試着したときに「これ、いいですね！」って言ってたんですよね。で、ライダースジャケットみたいなのも試着したんですけど「やっぱりあれがいい！」と。そしたら、背中に刃物を背負うような形で取り付ける装具を付けてくれたんです。ただ、戦うとき以外も刃物を背負っていたら危ないよねってことで、最終的に同じ金具の付いたポーチみたいなものが出来上がりました。ナダがガイソーグってバレちゃいけないから、普段からみんなとは違ったテイストの衣裳ですよね。ブレスレットはトワと同じやつなんですけど、石の色を紫というより黒なのか赤なのかわかりづらい、観る人に考えさせるような色にしようと。そうやって衣裳や小物が決まっていきました。

ナダが持つ憎しみの意味

──ナダの初登場回（第26〜28話）は、『科捜研の女』で現場をご一緒されていた柏木宏紀監督の演出でしたね。柏木さんは本作が特撮番組初参加で、第9・10話に続いての担当でした。

長田　最初が柏木さんだったのは、自分としてはすごくありがたかったです。初登場って、そこに異物が入るみたいな感じだから、普通だったらアウェイな環境なんですよね。でも、メイクさんも『科捜研』のときに京都でご一緒していた辻（真美）さんだったし、スタッフさんも含めて最初の現場がわりとホームな雰囲気だったんです。だから現場ですぐ、柏木監督が求めている雰囲気みたいなものも気軽に話させていただけたし、最初からやりやすかったです。キャラクターをなじませて、浸透させて、受け入れてもらうという作業を一つショートカットできたところがありました。だから、現場に行くことが毎回楽しかったです。「マジでこれ、俺のための現場じゃん！」って思ってましたよ（笑）。その上、カッコいい芝居どころもしっかりあるし、いろんなものが全部入っていて、こんなご褒美あるの!?」って思いながらやっていました。

──コミカルなイメージと、一方で陰のあるキャラクターのバランスが絶妙だったと思います。

長田　あまり粘着質な執念を出しちゃうとちょっと違うなとも思っていたし、最初はやっぱり応援に回るキャラクターとして立ち振る舞ったほうがわかりやすいですからね。クールなバンバと対比して、「こいつ、ちょっと煙たいな」と思われるようなキャラクターにしたかったんです。こういう友達っているよね、みたいな感じでできたら

なと。

――第28話では、コウに対して「レッド失格や」と厳しい一言を放っていましたが、あのシーンについては？

長田　あのセリフを言っているときの気持ちは、レッドの座を奪いたいという感覚ではなく「お前は何をやってるんだ」という意味だと思うんです。難易度の高いことをコウにやらせようとしているわけですけど、そこにあるのは「俺は戦士に選ばれなかった。お前は選ばれた。だから、これをできなきゃいけないんだよ！」という思いですよね。それは、コウに自分との差を感じている感情だとも思うんです。励ましたい一方で、やっぱり俺は違うんだなと。

――コウへのトレーニングシーンではアクションもありましたね。

長田　これまでケンカみたいなシーンはやったことがありましたけど、ああいう剣術みたいなものはあまりなかったんですよね。剣で突いたあとに左手で投げてキャッチするところの動きは、小さい棒を使って事前に家で練習していました。それで、現場でバチッとできたのでよかったですね。あとは、現場で福沢（博文）アクション監督に動きをつけていただいてやりました。ただ、あの空中でクルッと回転するアクション……バタフライツイストって言うんですけど、あれだけはさすがにできなかったので、そこはシゲさん（伊藤茂騎）にナダの格好をしてやっていただいたんです。

――第31話では、ガイソーケンを手にバンバンと立ち回りを演じられていて、非常に迫力がありました。

長田　あの回はアクションがあると思ってなかったんですよね。坂本（浩一）監督だってことを忘れていて（笑）。しかも、ガイソーケンって重いんです。アクション用がなくて、アップ用と兼用のものだけなので。だから、バンバの剣はアクション用でサッと出てくるんですけど、それに合わせてこちらもガッと振り上げなきゃいけないから大変でした。終わったあと、けっこう腕がしんどくて……これでいつも立ち回りしているガイソーグ役（スーツアクター）の清家（利一）さんはすごいなって思いました。

――そして、第32話。「俺はお前のそういうところがホンマに嫌いや……」というセリフが、繰り返し印象的に使われました。

長田　あれは坂本組のときに1回出てきたセリフなんですが、そのときの本当にコウを睨む顔というのが印象に残っていて。放送を観ていた妹から「観てて怖かった」って言われたぐらいの顔をしてたんですよね。で、もう一度やってみようと思ったんですけど、あのときの顔ができなくて……どうやってやったのかなって考えたら、たぶん本当にムカついてたんです。すごくいい顔で笑ってるコウの顔にすごくムカつけたんですね。「お前はいいよな！　お前はスターだからな」って。役者として自分自身が「しょせんスターじゃないんで」「こっちは努力でやってきてるんで」というくらいのテンションでいるので、あのキラキラした顔で振り返られたときに、どうしようもない気分がリアルに出てきたというか。それで「こういう気分のときにガイソーグが来るんだ！」というのが感覚でわかったんですよ。あの睨みがナダの持っている憎しみのすべてだと思っています。

――で、そのセリフをもう一度、今度は違った意味で口にするわけですよね。

長田　あれって、上堀内（佳寿也）監督が追加で書いたものなんだそうです。それで、読んだときに、これは「ＬＯＶＥ」のほうの意味だなと思って、現場に行ったとき、監督に「これはアレですよね？」って言ったら「そうです」と言われて、「アレ」で伝わったんですよ。そこからはもう、上堀内監督が何も言わなくても、求められているものはわかるようになりました。

こだわりの最期とビデオレター

――ちなみに、ナダがやがて命を落とし退場するキャラクターであることは、最初からご存知だったんですか？

長田　マネージャーは聞いていたみたいですが、僕は最初の頃は知らなかったですね。台本を見て自分の中で表現していく上で、最後に倒れることをわかっているのとわかっていないのとでは芝居も変わってきますから、そこは知らなくてよかったと思います。ただ、劇中で最期を迎えることがわかってからは、自分の中でいろいろ想像しました。お客さんはどう感じるかな？って。

――退場回の前の週の予告編で、ナダが「俺はリュウソウジャー！」って言っていましたから、誰もが完全に第7の戦士だと思ってましたよ！　あれはズルい（笑）。

長田　めちゃくちゃズルいですよね（笑）。あと、予告編にコウが「ソウルを一つに！」って言うセリフあったでしょう。あれ、ホントは最初、もうちょっと違うニュアンスだったんですよ。だから、収録時に上堀内監督が「違う違う！　もうちょっと上げて！」と言われて。「一緒に戦うぞ！って感じを強調して」って。

――わざと視聴者をミスリードしているわけですね。

長田　だから、本当に計算し尽くしていて……そのあたり、あの人は恐ろしい人ですよ（笑）。

――で、第33話は、卓球から始まって呑気な話だと思っていたら……。

長田　「もっと強いヤツがいるんだ」という話をするところは、たまたま窓の外に雨がバッと降ってきて、そこに照明が綺麗に反射して……。何かちょっと嫌な感じを予感させるシーンなんですけど、あの土砂降りの雨は偶然なんですよね。

――最初で最後になったガイソーグへの変身シーンは、すごく印象的でしたね。馴れない変身にややもたつきながら「リュウソウガイソー！」という掛け声でガイソーケンにガイソウルをセットしたら、変身音が「ガイソーチェンジ！」でボソッと「そっちかいな」ってツッコんだり、そのあとの名乗り口上も含めて、ナダのキャラがよく出ている変身だったなと。

長田　普通に「ガイソーチェンジ！」でキメる、ストレートにカッコいい変身でもいいなと思ったんですけどね。そこは、あえて「リュウソウガイソー！」と言って、その後の変な〝間〟は関西人ならではのボケというか（笑）。ああいう形でやってみたら、上堀内監督も「それでお願いします」って笑っていたので、よかったんじゃないですかね。で、あのときが初のアフレコだったんですよ。

――あぁ、それまでは関さんがガイソーグの声をやっていたから。

長田　そうです。で、戦闘シーンのアフレ

コをやってみてわかったのは、スーツアクターさんのすごさですね。それを改めてアフレコで感じました。マスク自体は無表情で口が動いてないんですけど、でも感情が見えるんですよ。もちろん、現場でのお芝居もそうなんですけど、映像になったときに余計にそれを感じるからすごいなと。アフレコで見たときにシビれちゃって、それで自分もめちゃくちゃ感情が入りましたね。あとは、最後の頭突きでマスクがバラバラに砕けるところ！　あのCGのクオリティがすごすぎて、「カッコいい!!」って思いました。汗がブワーっと飛び散ってね。俺がこんなにカッコよくていいのか、って(笑)。すごく嬉しかったです。

――また、そのあとのコウの怒りの表情が効いていましたよね。

長田　そう！　あのときの颯の表情は素晴らしかった。上堀内監督も「あの日の一ノ瀬の表情は抜群によかったんだ」って言ってましたから。俺、ホントに泣きましたもん。「これだよ、これ！　この顔が見たかったんだ！　これでよかった！」と思って。実はあの撮影の前日、颯と喫茶店に入ってずっと話をしてたんです。そこで、「明日はもう刺し合いだよ！　俺はお前を刺しまくるから、お前は俺を刺しに来いよ！」って。それで現場に行ったら監督もめちゃくちゃ気合いが入ってて。コウがウデンから出てきてゴロゴロ転がって「ナダ、ありがとう」って言うセリフがあるでしょ？　そこから千本ノックが始まっちゃうんですよ。颯のセリフに監督が何度も「違う」「違う」って。だから、そのたびに颯は転がってる。でも、どんどんよくなってくるんです。あいつも感情が昂ぶって涙がボロボロ出てくるんですけど、監督から「今は涙を落とすな！」って言われて。おかげで顔がめちゃくちゃいい顔になってるんです。それで、どんどんよくなってくるから、このまま来たら俺もやられるなと思って緊張感が出てくるし、夏場でガイソーグの鎧を装着しているから暑くてリアルな汗が出てきてるし、朦朧としてきて本当に死んじゃうんじゃないかと思いましたね(笑)。その甲斐あって、本当にいいシーンにしていただきました。

――上堀内監督の現場は、とても印象的だったんですね。

長田　一番心に残っているのは、雨が降って撮影がストップしたときですね。「天気待ち」になったら、ロケバスの中で監督がレギュラーキャストたちに「じゃあ、ちょっとやろうか」って言って台本を広げて、「このシーンの中で一番大事なセリフはどこだと思う？」って突然それぞれに聞いていくんですよ。彼らが今、自分がどういう役を持っていて、それをどう考えているか？　監督は時間を作って「考えろよ」という環境に置いてくれる。自分はいつも、現場から家に帰って考えて、レッスンに行って考えて、というのを繰り返していく中、自分の中で役を固めていったり、芝居の悩みから脱出できたりとかしてきたわけです。だから、役に没頭している最中で、そういう貴重な時間を作ってくださるって、すごく幸せな現場だなと思って。若い役者にとっては、大人が突っかかってきてくれるって大きなチャンスなんですよ。そこに意見が言えるのも大事なことだし、自分の中で意見を飲み込むのも重要なことだし。しかも、ワークショップと違って、そこで学んだことがすぐに現場で活かせる環境もある。それってすごく贅沢な時間なんですよね。そういう意味ですごくいい空間にいるなぁと思うし、そういう現場を作ってくれる上堀内監督が素晴らしいなと。今回は特撮作品で上堀内組に参加させてもらったけど、それとはまた違う現実的な世界観の作品のとき、どういう作り方をするんだろう？って、監督に対してすごく興味が湧きましたね。もしそんな機会があれば、ぜひ僕も入れてくださいという気持ちです。

おさだ・せいや：1989年8月16日生まれ。兵庫県出身。
2009年、ドラマ『ハンサム★スーツ』で俳優デビュー。
2010年、NHK連続テレビ小説『てっぱん』に出演。
2011年からドラマ『科捜研の女』シリーズで相馬 涼役を担当。
近年の出演作に、映画『新聞記者』、
ドラマ『二つの祖国』『べしゃり暮らし』など。

――そして、この回のラストで重要な役割を担う、リュウソウジャーたちに向けたナダのビデオレター。これはどんなテンションで撮影されたんですか？

長田　監督から「関係ないヤツはもう出て！」みたいな指示があって、セットに一人っきりにしてくれて撮影したんです。全部長回しで、雰囲気を違うパターンに変えさせてもらって、3回連続で収録しました。それで、監督から「どうですか？」って言われて、「大丈夫です。伝えたいことは伝えました」と。それでスパッと終わりました。自分のクランクアップの日って実はそのあとで、ナダがガイソーグに取り込まれるシーンだったんですけど、同じ日にメンバーがビデオレターを見るシーンが控えていたんですね。だから、朝の準備から俺はみんなと会わないように集合して、移動して。「みんながビデオレターを見たときのリアクションも大事にしてくれ」って言って、ひっそりクランクアップしました。

――そうなると、みなさんの中で、ますますナダと長田さんがダブって……。

長田　そうでしょうね。しかも大事なシーンだってみんなわかってるから、テンションをめっちゃ上げてますからね。そしたらもう、カメラを回したときに全員、涙ボロボロだったらしいですよ。「コウ、トワ、アスナはまだわかる。バンバとカナロまでボロボロか！　さすがにそれはおかしいだろ!」って。そのくらいボロ泣きしちゃったらしいですね。その話を聞いたら「可愛いな！　最高じゃん！」と思って。「バンバが泣いていたからもう1回やるぞ！」って、それ最高じゃないですか(笑)。こちらもこだわって演じてよかったなと思います。

ナダを演じ終えて、今……

――最終回前(第47話)にちょっとしたサプライズ登場がありましたが、短い出演期間の中で、メインキャストのみなさんと何か交流などはありましたか？

長田　意外と現場では少ないんですよ。朝の移動が一緒になるくらいでしたから。ただ、プライベートでは颯と会ったり、兵頭(功海)は家が近かったので一緒に話ししようかってご飯に行ったり、それから綱(啓永)もたまに……。でも、圧倒的に多かったのはやっぱり颯ですね。彼も毎日朝が早くて、スケジュールに余裕もないので、撮影が終わってから連絡があったりして。「ちょっと遅がけなんですけど今から会えませんか？」とか。1回、朝の4時ぐらいに連絡が来たこともありました。たぶん、あいつが朝起きて現場に向かってるんだろうなっていうタイミングで。「成哉さん、今日の夜って空いてますか？」って朝の4時にLINEが来るんですよ！(笑)　こちらもある程度状況がわかっているから「ということは、明日は撮休ってことか。なるほど！」って。今でもたまに颯と会ってます。こないだはGロッソの公演が終わったあとでしたね。「今からちょっとお会いできませんか？」「お前疲れてないのかよ？　早く帰って寝たくないのか？」みたいな。それで、そのあとに俺の家へ来たんですけど、お腹がすいてそうだったんでステーキ肉を買っておいて焼いてあげて。「いいんですか？」って言うから「だって、お前、何か食べさせてもらえると思って来たんでしょ？」って(笑)。

――可愛い後輩ですね！　ちなみに一番最近お話しされたのは一ノ瀬さんなんですか？　どんな話をされるのでしょう？

長田　颯とはなんだっけなあ、Gロッソのショーのあと。あいつ天然なんで、単純にそばにいたいみたいな気分の時に来るんですよ。何かを話したというよりは一緒にテレビを見たり、コーヒー飲む？とか言ったりとか……。現場とか行ったらめちゃくちゃ長文のLINEとか来るんで、下手な返しできねえなと思って。オレもだんだん長文になってきちゃって。でも長すぎてうざいなと思われたら嫌だから減らして調整しながら。芝居のこともそうですし、仕事の中でこういう気持ちになった時にどうしたらいいですかね、みたいなことを聞いてくれるんで、自分から言うのも先輩風吹かせるのも嫌なんで。

――プライベートでもナダのような、兄貴分のような存在に？

長田　撮影二日目で「みんな長田さんに懐いちゃって」って言われてしまいましたよ。

【公式 Twitter】
https://twitter.com/seiya0816
【公式 Instagram】
https://www.instagram.com/seiyaosada/

――兵頭さんとかも？

長田　そうですね。みんな本当に……トータルで本当に楽しい現場でした！

――では最後に、長田さんにとって『騎士竜戦隊リュウソウジャー』への出演はどんな体験であったか？　また、ナダという役との出逢いが自身の俳優人生においてどういう意味を持つものになったのか？を教えてください。

長田　自分の役者人生の中で絶対に外すことのできない、大きな柱の1本になっています。自分に与えられた役をいつも探り探り演じているし、終わったあとも「こういうふうにできたんじゃないか？」と思ったりするんですが、ナダに関しては「もっとこうすればよかった」ということは一切なかった。自分の全部を投入した感じです。それは今後にも活きてくると思うんですよ。何か迷ったときに立ち返れるチェックポイントとして。しかも、ありがたいことに、ファンのみなさんに愛されるキャラクターにもなりました。呪いに囚われた重いキャラクターというだけじゃなくてね、楽しんで生きているというようなところもよかったんだと思います。これまで街で声をかけられるときは「『科捜研』の相馬涼さん」としてだったんですけど、今は「ナダさんですよね」って言ってもらえるようになりました。俺は役の名前で呼ばれるのってすごく嬉しいんです。それは、役がお客さんの中に残ってるということだと思いますから。だから、「ナダさん」って呼ばれるとすごくテンションが上がりますね。「そうや、ナダやで!!」って(笑)。

「俺たちはこれしかないから快盗やってるんだ、
正論なんかどーでもいいね」

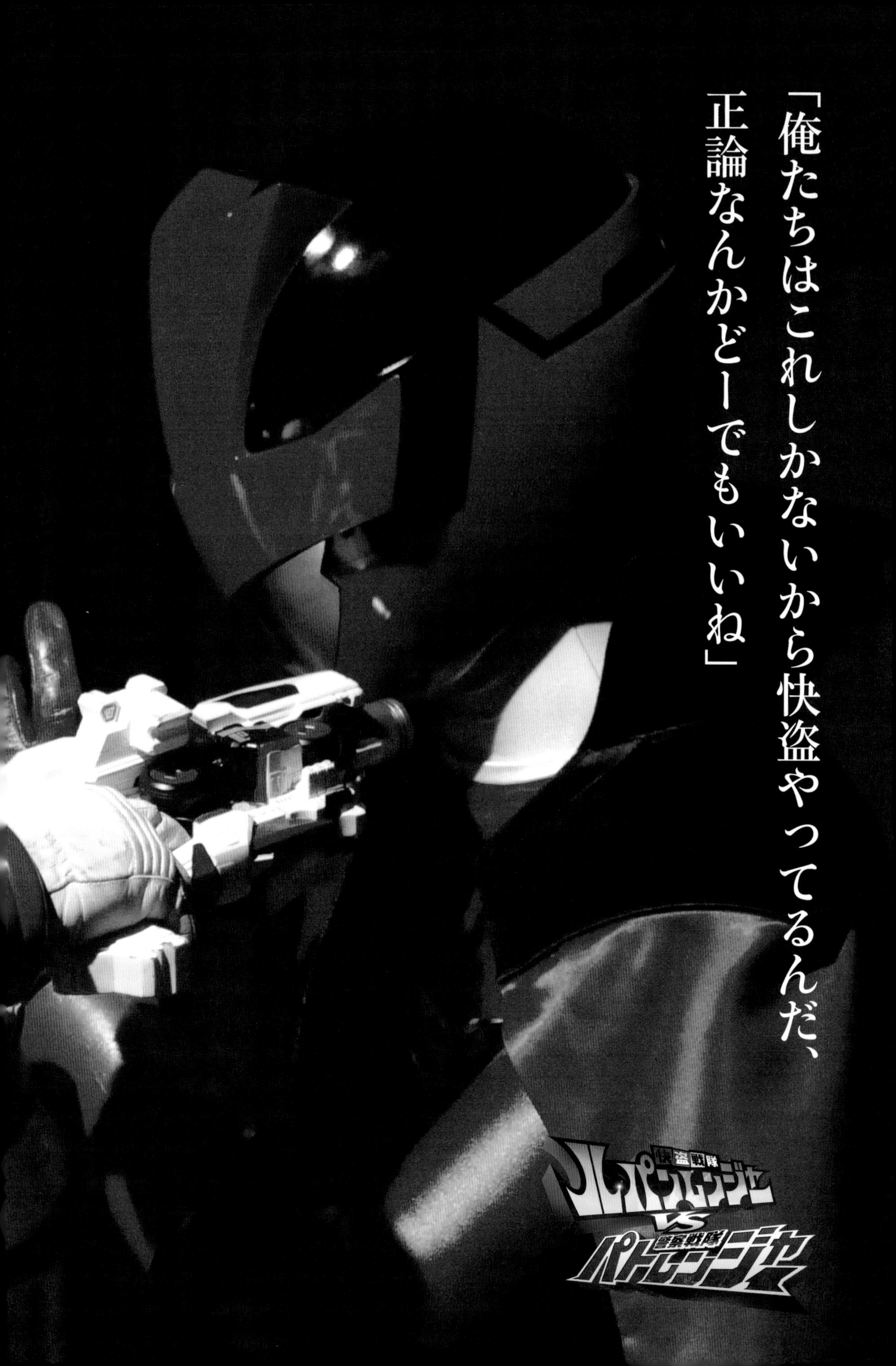

「どんな言い訳をしようとも、快盗という
手段を選んだ時点で貴様らは間違っている！」

Guide of LUPINRANGER VS PATRANGER
快盗戦隊ルパンレンジャーVS警察戦隊パトレンジャー 激闘ガイド

**今回の「VS」をより深く楽しむためのテレビシリーズ紹介パートの第2弾。
『快盗戦隊ルパンレンジャーVS警察戦隊パトレンジャー』の
主要キャラクター紹介と各話のピンポイント解説で、その激闘を振り返る！
なお、本誌の性格上、話題がややWレッドに偏り気味なのは何卒ご了承ください。**

文◎編集部

※本稿におけるキャスト・スタッフの発言は、原則としてムック「Wレッドが出来るまで 快盗戦隊ルパンレンジャーVS警察戦隊パトレンジャー レッドオンリーブック」（弊社刊）より引用。

【主要キャラクター紹介】

■快盗戦隊ルパンレンジャー

異世界から来たギャングラーから「ルパンコレクション」と呼ばれる秘宝を取り戻すために、自称「ルパン家に仕える一族」の1人であるコグレによってスカウトされた。

彼らはそれぞれ、「失った大切な人を取り戻す」という目的のため、ルパンコレクションの収集に協力しているというスタンス。そのためには互いを利用し、助け合わない、最後の1人になっても目的を叶える、という厳しい盟約を口にしていたのだが……。

既出のインタビュー記事によると、宇都宮孝明プロデューサー曰く、「最終回にむけてルパンレンジャーたちは命を落とす可能性もあった」とのこと。文字通り〝命懸け〟で快盗をやり通した3人だ。

●夜野魁利／ルパンレッド（演：伊藤あさひ　スーツアクト：浅井宏輔）

人好きのする青年だが他人と深く関わることはない。頭の回転と切り替えが速い。カフェ「ジュレ」の住み込み店員。しょっちゅう客（主に女性）との軽口やスマホいじりに時間を割いているのは情報収集のため。肝心の店員としての仕事はさぼりがちで初美花にぼやかれている。ギャングラーに奪われた兄を取り戻すため、ルパンレンジャーとなった。

●宵町透真／ルパンブルー（演：濱正悟　スーツアクト：竹内康博）

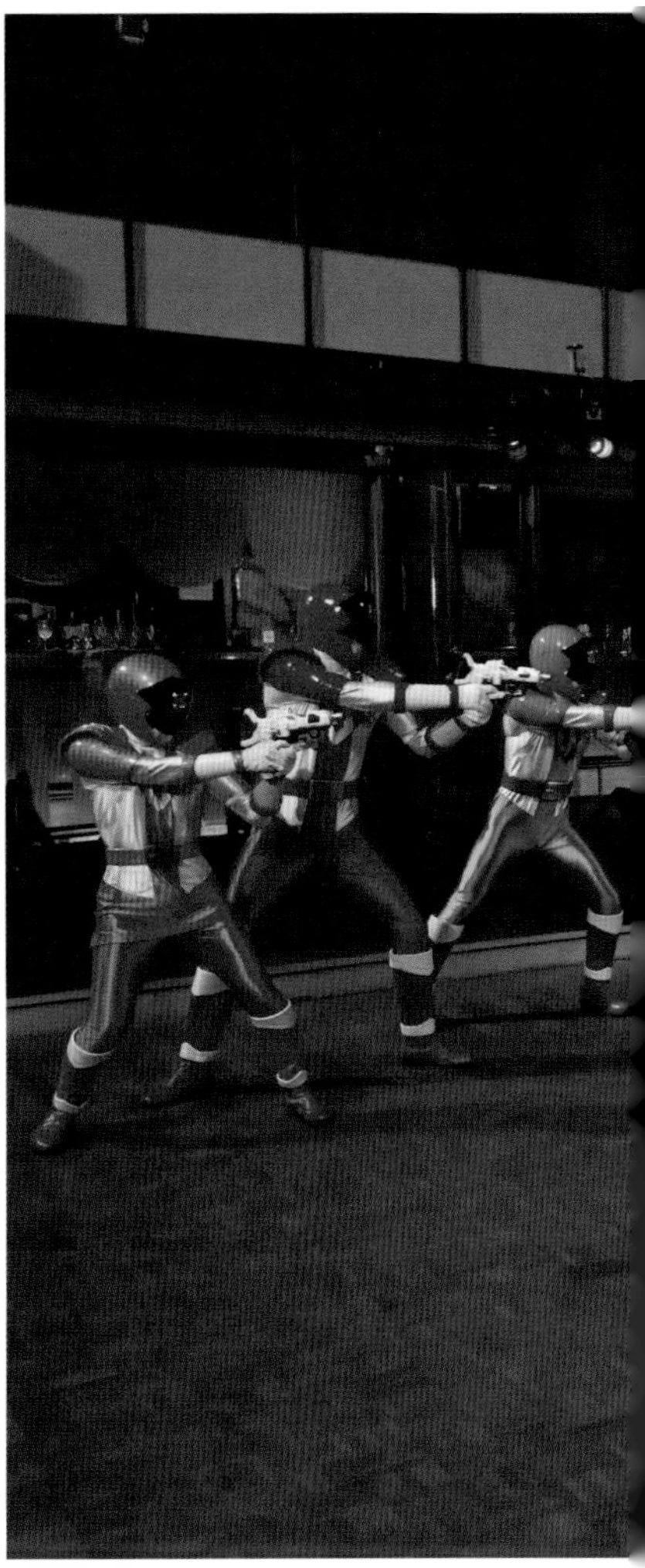

ルパンレンジャーの中では唯一の社会人で最年長。隠れ家でもあるカフェ「ジュレ」のコック兼店長だ。フレンチの腕は一流。言葉少なく他人に心を動かされることはない。魁利、初美花の保護者がわりでもあり、魁利も彼には一目置いている。婚約者をギャングラーから取り戻すためにルパンレンジャーとなった。

●早見初美花／ルパンイエロー（演：工藤遥　スーツアクト：下園愛弓）

ルパンレンジャーになるために高校を中退し、家も出て「ジュレ」に住み込んでいる、メンバー最年少の17歳。素直で疑うことを知らない性格だが、最後まで望みを捨てない強さも持っている。自分をギャングラーの攻撃から守って消えた親友を取り戻すためにルパンレンジャーとなった。「ジュレ」に通うようになったパトレン2号／陽川咲也に一目惚れされ、以来猛アタックを受けている。

■警察戦隊パトレンジャー

ギャングラーによる犯罪を取り締まるために結成された国際特別警察機構（GSPO）日本支部の戦力部隊。ルパンコレクションを改造したVSチェンジャーが配備される前まではロクな装備を持たず、現場に駆けつけてもギャングラーを制圧できたことはなかったが、満身創痍で前線に立ち続けていた。実際、パトレン2号は前任者が重傷を負い前線を離れている。1年ほど前から現れたルパンレンジャーについて噂を聞いていたが、第1話で初めて現場でかち合うことに。

●朝加圭一郎／パトレン1号（演：結木滉星　スーツアクト：高田将司）

パトレンジャーのリーダー的存在。子供の頃、自分との約束を守り、街の平和のために働くおまわりさんと出会い、その姿に憧れて警察官となった。市民を守るためならその身を危険に晒すことを厭わない熱いハートと、ギャングラーの犯罪を撲滅するという固い信念を持っている。魁利曰く「熱血おまわり」。和菓子が好き。猫舌。

●陽川咲也／パトレン2号（演：横山涼　スーツアクト：大林勝）

パトレンジャーの中では一番後輩で狙撃の名手。つかさよりも年下だが、「2号」を拝命している理由は、先代の2号がいたため。一見頼りなく見えるが、思考は柔軟。圭一郎とつかさを尊敬している。「かわいい子には声をかけないと」という思考の持ち主だったが、初美花と出会って以来、彼女を一途に追いかけている。

●明神つかさ／パトレン3号（演：奥山かずさ　スーツアクト：五味涼子）

圭一郎とは警察学校からの同期。頭に血が上りやすい圭一郎を和菓子でいなすなど、扱い方も手馴れている。圭一郎が考え違いを起こした際は、頬を張ってその姿勢を正したことも。年金が充実しているなど、安定した老後のために警官の道を選んだというが……？　体術にも優れているが、冷静な思考で事件に当たる。

●高尾ノエル／ルパンエックス／パトレンエックス（演：元木聖也　スーツアクト：伊藤茂騎）

国際警察フランス本部からやってきたパトレンジャーの潜入捜査官で、ルパンレンジャーとしても活躍する謎の人物。初めて魁利の前に姿を現した際には、自己紹介代わりに華麗なアクロバットを披露した。「ルパンコレクション」と呼ばれる数々の宝物の一部を、VSチェンジャーやビークルなど人間が使えるように改造するエンジニアの腕も持っている。ギャングラーに恩人・アルセーヌルパンを殺されたため、彼を取り戻すべくルパンレンジャー／パトレンジャーとして協力している。

■異世界犯罪者集団ギャングラー

異世界から訪れた犯罪者集団。500年に渡って世界の裏社会を牛耳ってきた。構成員たちの身体の金庫には、組織が手に入れたルパンコレクションが収納されており、彼らはその能力を用いて悪事を働く。

●ドグラニオ・ヤーブン（声：宮本充　スーツアクト：神尾直子）

ギャングラーのボス。999歳の誕生日をきっかけに自らの地位や財産を部下の誰かに譲りたいと言い出したのだが……。部下に対して鷹揚で、だいたいのことは「いいじゃないか」と不問に付すが、つまらないことは大嫌いだ。その腹にある金庫の中は異次元で、ルパンレンジャー対ザミーゴの最終決戦の場となった。

●デストラ・マッジョ（声：うえだゆうじ　スーツアクト：藤田洋平）

ドグラニオに忠節を尽くす最強の右腕。ボスに無礼を働くものはたとえギャングラーの仲間でも許さない、無骨で実直な武人だ。ドグラニオの期待に応えるため、物語終盤では不愉快に思っているゴーシュとも共闘した。

●ゴーシュ・ル・メドゥ（声：竹達彩奈　スーツアクト：蜂須賀祐一）

ギャングラーのマッドドクター。ポーダマンを改造したり、ギャングラーたちの身体に新しい金庫を埋め込んだり、他者の身体を切り刻むことに遠慮はない。口調は色っぽいものの、魁利／ルパンレッドからは「アンタ、キモいんだよ」と吐き捨てられた。

●ザミーゴ・デルマ（演・声：入江甚儀　スーツアクト：蔦宗正人）

魁利たちがルパンレンジャーになる切っ掛けとなった大量失踪事件の犯人。氷の銃で相手を瞬時に氷漬けにし、別空間に転送する（氷漬けにされた人間は、ギャングラーたちが人間界で偽装するための「化けの皮」に使用）。ギャングラー内のはぐれ狼的存在で、自らの愉悦のためなら仲間を消し去ることも厭わない快楽犯。ルパンレッドのことは「面白いオモチャ」と大変気に入っている。

■第1話　世間を騒がす快盗さ
（脚本：香村純子　監督：杉原輝昭）

ギャングラーと呼ばれる異世界犯罪者集団の起こす犯罪が巷で頻発。ＧＳＰＯ（国際特別警察機構）の精鋭・朝加圭一郎、明神つかさ、陽川咲也の3人は、装備が整わない中、日夜ギャングラー犯罪と対していた。一方、ギャングラー犯罪の現場には、「ルパンレンジャー」と名乗る仮面の3人組が必ず出没し……。

快盗＝ルパンレンジャーと警察＝パトレンジャーが、初めて現場で顔を合わせる第1話。その場からルパンコレクションを盗んでいく快盗たち。激昂する圭一郎に対し、「サインならお断りだけど?」と軽くいなすルパンレッドと「ふざけるな!」と怒鳴る圭一郎が、Wレッド初のやりとり。ルパンレッドの手つきに要注目だ。

杉原監督曰く「ルパンは無駄にカッコよく！　パトレンは熱く!!」という両チームの対比を強烈に印象づけるカジノが舞台の冒頭5分間で、まさに掴みはオッケー。特にルパンレンジャー側のアクション場面は、監督の思惑どおりのカッコよさである。1話ではまだパトレンジャー側に変身用の装備は支給されていないが、現場に駆け付けるパトカー内で、銃を確認する同僚のつかさや、運転する後輩の咲也、平和を守るために何事にも熱く燃える圭一郎の「ギャングラーめ、一網打尽にしてやる」というセリフからそれぞれのキャラクターや関係性がうかがえる。

■第2話　国際警察、追跡せよ
（脚本：香村純子　監督：杉原輝昭）

ルパンコレクションを手に入れ、パトレンジャーに変身できるようになった国際警察の面々。ギャングラーの体内にあるルパンコレクションを入手するまでは敵を倒すことができないジレンマを抱えるルパンレンジャーと、問答無用に悪を制圧したいパトレンジャーの対立が描かれる。

この回よりオープニングが公開。杉原監督が得意とするカットを多用した情報量の多い映像と、2人の歌手が別々に歌う歌を組み合わせてひとつの歌とする意欲的なつくりの主題歌が斬新だった。ラストに入る快盗たちと警察たちがすれ違う場面で、初美花だけが後ろ歩きして見えることに、当時は「初美花だけがいつか警察側になるのでは?」などの憶測も飛び交ったが、杉原監督の言によれば、切り取った場面による偶然とのこと。

■第3話　絶対に取り戻す
（脚本：香村純子　監督：中澤祥次郎）

警察がパトレンジャーとして参戦することにより、ルパンレンジャーはギャングラー相手に加え、パトレンジャーとも戦う羽目になった。魁利はギャングラーへの囮としてパトレンジャーたちを利用しようと考える。

魁利たちが根城にしているカフェは国際警察の近所にあるということで、圭一郎たちが訪れるようになる。ここから、魁利たち快盗側は警察の素顔を知っていて会話したりするが、警察側は快盗側の正体を知らずに素顔の彼らと仲を深めていく……という状況に。互いの立場の違いがファンに今後の展開を想像させ、やきもきさせた。

■第4話　許されない関係
（脚本：香村純子　監督：中澤祥次郎）

謎の失踪事件が相次いだ。どうやらサメのぬいぐるみにほおずりすることが原因らしい。つい証拠の品のぬいぐるみにスリスリしてしまったつかさが、人質のとらわれている空間に飛ばされてしまった……。

ギャングラーを相手に人々を守り孤軍奮闘するつかさのもとに駆け付ける圭一郎と咲也。戦闘に傷ついたつかさにVSチェンジャーを手渡し、「まだ戦えるな?」と、同じく戦う仲間として対等に言葉をかける圭一郎のセリフに、主に女性ファンからの熱い視線が集まった重要回。また、パトレン3号／つかさの愛すべき趣味「カワイイもの（つかさ基準）が好き」「自室はぬいぐるみだらけ」が明かされた回でもある。ちなみにつかさは、圭一郎の弱点を熟知しているけど自分の弱みは見せたことがない！と咲也に豪語していたが、圭一郎はつかさが可愛いもの好きなことを訓練生時代から知っていた模様。ここにも両者のキャラや関係性が垣間見える。

■第5話　狙われた国際警察
（脚本：香村純子　監督：加藤弘之）

圭一郎たちの上司・ヒルトップ管理官がフランスのパリ本部から持ち帰った新しいVSビークル2体が、ギャングラーの攻撃によって盗まれてしまう。ちょうどその場に遭遇した魁利たちルパンレンジャーはそのうちのひとつを入手し、もう1体も手に入れるため、ギャングラーに取引を申し込むが、取引場所に現れた圭一郎たちパトレンジャーとかち合ってしまい……。

魁利と圭一郎のWレッドが、初めて一対一で互いの熱さをぶつけ合うエピソード。このあと何度も回想などで用いられることになる互いの主義主張——「快盗という手段を選んだ時点で貴様らは間違っている!」「俺たちはこれしかないから快盗やってるんだ、正論なんてどーでもいいね!」——が、それぞれのレッドの口から放たれた。このやりとりが「ルパパト」の骨子を表しているともいえる、『ルパパト』象徴的な回だろう。

ちなみに、Wレッドを担当したスーツアクターの2人がこの場面を振り返った際、パトレン1号役の高田将司は「このときはいつもより厳しめに演じました」と語り、ルパンレッド役の浅井宏輔は「吐き捨てるような動作が正解だったのかいまだにわからなくて…」と述懐。今もなお芝居を探る姿勢だったのが印象的だ。また、この場面のアフレコは別録りではなく、伊藤あさひ、結木滉星が両者揃って熱さをぶつけあったとインタビュー時に語っていた。

■第6話　守るべきものは

（脚本：香村純子　監督：加藤弘之）

前回、ルパンレッドとの対決に負けて警察の装備（ルパンレンジャーにとってはルパンコレクション）を奪われてしまった圭一郎は、ルパンレッドへの対抗心で頭がいっぱいになってしまう。市民への配慮よりもルパンレンジャーを出し抜くことを優先する言動の圭一郎につかさは怒り、自分が国際警察に配属されたときに圭一郎に言われた言葉を大事に思って今の任務にあたっていることを告げる。つかさの叱咤に目が覚めた圭一郎／パトレン1号は、ルパンレンジャーと対峙した際も己を失わず、自らの身体を張って瓦礫から親子を救った。

自分のほうが「熱血おまわり」よりも上を行っている、と調子に乗っていた魁利だったが、戦闘時に己を犠牲にしてでも市民を守り力尽きる圭一郎の姿を見て、「……なんか、負けたわ」とぼやく。この回では、国際警察に配属されたばかりの理想に燃える圭一郎と、年金が充実しているからこの仕事を選んだと現実的なことを口にするつかさの、若き日の2人が登場。ルパンレッドに張り合うあまり自分を見失った圭一郎をつかさがビンタし、目を覚まさせる場面が印象的だ。

■第7話　いつも助けられて

（脚本：香村純子　監督：杉原輝昭）

魁利と透真が不在の状態で、初美花が1人覚悟を決めて奮闘するが……。

初美花らしいやり方でルパンイエローとしてパトレン側を出し抜き2人を取り戻す、初美花の決意回だ。

■第8話　快盗の正体

（脚本／金子香緒里　監督／杉原輝昭）

ジュレの3人がルパンレンジャーではないかというつかさの疑念をきっかけに、魁利たちをそれぞれ尾行するパトレンジャーたち……。

事務専用ロボのジム・カーターがおとりを引き受け、初めて外に出ての活躍となった。予告に出た圭一郎が両腕で作る大きなマルボーズも話題に。

■第9話　もう一度会うために

（脚本：香村純子　監督：中澤祥次郎）

ルパンコレクションを取り戻す前にギャングラーをパトレンジャーが粉砕。コレクションがひとつ欠けても望みの叶わない魁利たちは絶望するが……。

新しいダイヤルファイターの登場、パトレン3名と魁利の変装姿……など、いろんな意味で見どころ満載の回。

■第10話　まだ終わってない

（脚本：香村純子　監督：中澤祥次郎）

コレクションの消滅で望みが絶たれたかに見えた魁利たち。だが、戦いはまだ終わっていなかった……。

今回の劇場版（『騎士竜戦隊リュウソウジャーVSルパンレンジャーVSパトレンジャー』）でも見られた、Wレッドが邂逅する歩道橋の場面はこの回が初出。話のラストで、魁利が初めて圭一郎に「圭ちゃん」と呼びかけ、ファンの話題をさらった。

■第11話　撮影は続くよどこまでも

（脚本：金子香緒里　監督：中澤祥次郎）

ギャングラーの能力を浴びたパトレン3人の性別が逆転してしまい……!

圭一郎の女体化姿が某女優の演じたキャラクターを彷彿とさせるとのことで「ショムニ」がトレンドに入るなど、いろんな意味で話題になった。

■第12話　魔法の腕輪

（脚本：荒川稔久　監督：杉原輝昭）

ルパンコレクションを無関係の少年に拾われてしまい、透真は……。

常にクールで他者に心を動かさないように見える透真の普段は見せない思い遣りが垣間見える回。少年に翻弄され、珍しく走り回る透真が見られる。

■第13話　最高で最低な休日

（脚本：荒川稔久　監督：杉原輝昭）

意図せず2人で遊園地を回ることになった初美花とつかさは……。

互いの片腕を鎖で繋がれながらのア

クションや、お化けを怖がるつかさをバックハグする初美花のショットなど、Wヒロインファンは必見。

■第14話　はりめぐらされた罠

（脚本：香村純子　監督：加藤弘之）

地中に新たなVSビークルがあるとの情報を受け、危険を顧みず捜索に向かった圭一郎が毒針に侵され……。

圭一郎は子供好きだが、子供に好かれないことが明かされた。回想シーンで、幼い圭一郎が警官になろうと思うきっかけになった憧れの警官を演じたのは、パトレン1号のスーツアクターを務める高田将司。

■第15話　警察官の仕事

（脚本：香村純子　監督：加藤弘之）

毒に侵され絶対安静の圭一郎。その姿を目の当たりにした魁利は、口では悪ぶりつつも心打たれ……。

命懸けで任務を遂行しようとするパトレン3人の絆と、その意気を感じ彼らに助け舟を出すルパンイエローの描写も。

■第16話　仲間だからこそ

（脚本：荒川稔久　監督：渡辺勝也）

透真とギャングラーの人格が入れ替わってしまい……。

スーパー戦隊シリーズらしさ全開のおもしろエピソード。透真の姿でナンパしまくりハイテンションに動きまくるギャングラーと、ギャングラーの姿で声だけシリアスにふるまう透真のギャップに視聴者は全編笑わされっぱなしだが、その一方、透真の姿で迫るギャングラーとの対決で、ルパンレッドが透真の身体にかかる銃撃の威力を和らげるべく自分の掌を撃ち抜く展開に、魁利のキャラが際立つ珠玉の一編だ。

■第17話　秘めた想い

（脚本：荒川稔久　監督：渡辺勝也）

ギャングラーの見せる夢の世界にみんな閉じ込められた。だが、初美花の歌で圭一郎が覚醒し、敵を撃破する！

初美花の魅力全開アイドル回であると同時に、圭一郎の実直かつ不器用な男らしさも描かれた好エピソード。圭一郎の趣味がレコード鑑賞で、夢は犯罪のない平和な世界、女性との付き合いはギャングラー犯罪が収束するまで考えていないことなどが明らかに。

■第18話　コレクションの秘密

（脚本：金子香緒里　監督：中澤祥次郎）

国際警察の保管庫からギャングラーが巨大化して出現した……！

ルパンレッドが合体中のパトカイザーにビークルごと乱入し、コックピットにルパンレッド、パトレン2号、3号という変則的な組み合わせとなった。もちろんコックピットの中も外も大乱闘だ。「警察魂をみくびるなよ！」という圭一郎が、上空からワイヤーに吊られて雄たけびと共に降ってくる様が印象的。

■第19話　命令違反の代償

（脚本：荒川稔久　監督：中澤祥次郎）

メンツにこだわる嫌味な上司・梁上管理官に、咲也は反抗的なとるが……。

迷惑なナンパ男を難なくいなす、ちょっとカッコいい咲也が冒頭に。命令違反に臆せず現場に駆けつける咲也と、それを頼もしく補助するヒルトップも見どころだ。

■第20話　新たな快盗は警察官

（脚本：香村純子　監督：加藤弘之）

ノエルの初登場回。いきなり女子高生をお姫様抱っこして、その自撮りツーショットが新聞を飾ったあげく、魁利の前に姿を見せると第一声「ボクだよ〜」からの派手なアクロバットで、強烈な存在感アピール。その場で圭一郎に確保され、取調べ室に連行されたが、その悠々たる態度で、パトレンジャーにも、それを見張るルパンレンジャーにも動揺を与えた。

■第21話　敵か味方か、乗るか乗らないか

（脚本：香村純子　監督：加藤弘之）

ルパンレンジャーとしてもパトレンジャーとしても活動するノエル。その姿に圭一郎たちは疑いの目を向ける。

ダムの上でルパンレンジャーと激しいアクションを繰り広げるパトレンエックス／ルパンエックスは必見！

■第22話　人生に恋はつきもの

（脚本：香村純子　監督：渡辺勝也）

ジュレでランチ中、恋愛相談をする咲也に対して「僕を誰だと思っているんだい、アムールの国から来た男だよ？」と言い放った、このセリフがノエルの印象を決めたといっても過言ではない。そんな2人を「2人とも顔がうるさい」と切って捨てるつかさにも注目。

■第23話　ステイタス・ゴールド

（脚本：香村純子　監督：渡辺勝也）

「ステイタス・ゴールド」と呼ばれる金色の金庫を持つギャングラーがは必見！

グルメを追及するギャングラーを満足させるため、板前姿の圭一郎、パティシエ姿のつかさ、ラーメン屋姿の咲也が見られた（なお全員料理は壊滅的）。ギャングラーもうならせる透真のフレンチの腕と、短時間でビークルを修理するノエルのエンジニア姿も堪能できる回だ。

■第24話　生きて帰る約束

（脚本：香村純子　監督：中澤祥次郎）

持つ人にラッキーをもたらすというペンダントにギャングラーの存在を感じ、魁利は情報を入手すべく夜のクラブに潜入する……。居合わせたつかさに夜遊びをたしなめられた際、つかさの祖父との関係、魁利の兄への悔恨の描写が差し込まれた。ギャングラーとの戦闘時、それが最適解ではあるものの、ギャングラーに銃弾を当てるためだけに、自らの身を省みることなく命を懸けるルパンレッドの姿を見たつかさが、「あいつのブレーキは壊れている」と発言。

ちなみに、この回の放映からしばらくはオープニングに夏映画の映像が挟まるようになった。

■第25話　最高に強くしてやる

（脚本：香村純子　監督：中澤祥次郎）

前回の巨大ロボ戦で敵に圧倒され傷ついたパトレンジャーとルパンレンジャーたち。街中にもかなりの被害が出てしまう。特にひどい怪我を負ったノエルを魁利たちが手当てしたが、いまだノエルのことを信用はしていなかった。魁利に「いいんじゃね？　利用したりされたりの関係で」と言われたノエルは、単身で身体を張り、「僕も君たちと同じだからさ。僕にも取り戻したい大事な人がいる」と告白。ノエルのことを同じ「快盗」として信じるという魁利たちだった。

ルパンレッドを援護しギャングラーを倒すべきだというつかさの冷静な判断に、不本意ながら圭一郎も同意するが、援護に駆けつけた際、唯一顔を背けたままの1号とそれに失笑するルパンレッドの場面に注目。その後の巨大戦では、警察と快盗の全合体が披露されたが、コクピット内での1号とレッドの「唾が飛ぶ」「あ、すまん……飛ぶか～！」という掛け合いは、現場における1号役・高田将司のアドリブをアフレコで結木滉星が拾って生まれたシーンだ。

冒頭、重傷のノエルが寝かされていたのは魁利の部屋。カーテンはレースのみで、あとはベッドと机の上に幼い自分と兄の写真……という最低限のものしか置かれていない室内にファンは心を痛めた。

■劇場版『快盗戦隊ルパンレンジャーVS警察戦隊パトレンジャー en film』

（脚本：香村純子　監督：杉原輝昭）

ルパンレンジャーを捕まえるために海外から著名な探偵が来日。それと前後して、ギャングラーの能力によりルパンレッドとパトレン1号の2人がギャングラーの世界へと連れさられてしまった。

「いつもはライバル……今だけ相棒!!」というキャッチコピーの通り、異世界から抜け出すために共闘するWレッドの姿が描かれた夏の劇場版。異世界で夜をすごす場面は、撮影が長時間に及んだものの主演2人のテンションは切れることなく、大変いい場面になったと杉原監督も太鼓判を押す名シーンに。冒頭でギャングラーと混戦になる、空間を縦横無尽に使った見応え抜群なアクションシーンは、杉原監督と福沢博文アクション監督が一緒にロケハンを行い、アクションの都合を考慮した上で撮影場所を決定。アクション監督がロケハンに同行するのは珍しいことのようで、こだわりのほどがうかがえる。

■WEB配信『快盗戦隊ルパンレンジャー＋警察戦隊パトレンジャー～究極の変合体!!～』（前編・後編）

（脚本：きだつよし　監督：葉山康一郎）

ギャングラーの能力によってルパンレッドとパトレン1号がくっついてしまって離れなくなってしまう！

予告だけでファンが騒然となった、ビデオパス限定配信のドラマだが、最終的にはルパパトお団子状態に。一番活躍したのはノエルだった。

■WEB配信『警察戦隊パトレンジャー Feat. 快盗戦隊ルパンレンジャー　もう一人のパトレン2号』

（脚本：きだつよし　監督：葉山康一郎）

パトレンジャーでは一番後輩の咲也がなぜ「2号」を名乗っているのか？実はパトレン2号には前任者がいた！

東映特撮ファンクラブにて配信された本作にて、今以上に直情的で頭の固かった圭一郎に影響を与えた、前パトレン2号・東雲悟の存在が明かされた。ビデオパスの「～究極の変合体」と同時期に配信されたが、こちらは打って変わってシリアスな展開。

■第26話　裏のオークション

（脚本：大和屋暁　監督：加藤弘之）

ルパンコレクションが出品されるというオークションに、初美花とノエルが正体を隠して参加するが……。

コグレから預かった小切手帳を片手に入札額を釣り上げまくるノエル。隣でハラハラする初美花の金銭感覚が庶民的で、その好感度が競り上がる入札額と同じくアップしたことは言うまでもない。ノエルが自分の肩書き（フランス本部直属潜入捜査官）を笠に着て、ジムに命令を優しく強要する場面も〝らしさ〟溢れる見どころだ。

この回で初めて、ルパンレンジャーたちが変身前に着用して目元を隠すマスクに「認識障害機能」があることが言及された。

■第27話　言いなりダンシング

（脚本：大和屋暁　監督：加藤弘之）

ギャングラーの能力を受け、言われるまま古武術道場に入門することになってしまった透真。入った先にはなんと師範代として咲也が！　しかも、古武術なのになぜか全員レオタードでエアロビダンス!!　自分がギャングラーの能力の影響下にあると気づいた透真は、爆弾を運ばされていた咲也をやむなく助けることに。

咲也が透真に対して無邪気に「先輩呼び」を強要するなど、珍しくユーモラスな2人のやりとりが見られる。この回でのルパンブルー変身時の名乗りには、散々な目に遭わされた透真の憤怒が込められているようだ。この回以降、透真は咲也のことをときに皮肉、ときに親しみをもって「センパイ」と呼ぶことも。

透真役・濱正悟と咲也役・横山涼のSNSなどで、たびたび「レオタード同盟」「先輩」などのワードが発信された結果、このネタはすっかり定着し、Gロッソや番組終了後のファイナルライブツアーでもこの曲で踊る2人が見られた。一部ファンの間では翌年のリュウソウブラックまでもが「レオタード枠」と言われ、ダンスや変わった格好を期待される弊害（!?）も発生。ちなみに、この回の放送は30分前の『仮面ライダービルド』でグリスが散った日で、ニチアサファンの間では「1時間内の気持ちの高低差がものすごい」と話題に。

■第28話　誕生日も戦いで

（脚本：香村純子　監督：杉原輝昭）

初美花の父親がジュレに乗り込んできた。魁利のことを「初美花をたぶらかしたチャラ男」と激高し追いかけてくる。そこでギャングラーと遭遇し……。

初美花の父親が登場。初美花は（ルパンレンジャーをやっていることは内緒とはいえ）家族にちゃんと断ってから家を出てジュレに住み込みしていることが明かされた。初美花の父に「強いっすよ、あいつ」と安心させるように告げる魁利と、誕生日の初美花に会いに来た父親の想いに婚約者の父親を重ね過去を語る透真。珍しくルパンレンジャーたち3人の素の心情がうかがえた回だ。

■第29話　写真は記憶

（脚本：金子香緒里　監督：杉原輝昭）

ゴーシュの実験台となった改造ポーダマンの攻撃で、圭一郎の記憶が写真になって飛び散った。写真を回収しつつ、過去の戦闘を振り返るつかさたち。一方、圭一郎の記憶を取り戻すため魁利たちに協力を要請するノエル。快盗たちは乗り気じゃないようだが……!?

記憶を失くした圭一郎の普段と異なるハジけっぷりも楽しい総集編的エピソード。戦うことすら忘れた圭一郎に対する、ルパンレッドの「アンタが忘れた快盗さ」という名乗りと、記憶を取り戻した圭一郎が叫ぶ「俺はパトレン一号！　朝加圭一郎だぁぁ!!」の怒号が印象に残る。

ラストでは、ノエルの歓迎会としてパトレンジャーがジュレの3人にデリバリーをお願いし、浴衣の7名が集まる場面が登場。夜空に打ち上がった花火を眺めるWレッド2人の雰囲気の演出には、脚本を担当した香村も思わず二度見したとのこと。

■第30話　ふたりは旅行中

（脚本：香村純子　監督：杉原輝昭）

圭一郎が休暇と称して出かけた先に、様子を探りたい魁利も付いていくことに。甘え倒す魁利と、そんな魁利に押し切られてしまう圭一郎だが……!?

魁利と圭一郎が2人で温泉旅行!?というユーモラスな展開の一編。その中で、保護した迷子の少女がなくしたという髪飾りの捜索をめぐって圭一郎と魁利それぞれの「正しさ」が浮き彫りになった。あくまでもまっすぐことにあたる圭一郎に兄を重ね、「圭ちゃんは清く正しい人間」といつにない心情を吐露してしまう魁利や、ギャングラーを殲滅し街を救うことを最優先に考えて、因縁のルパンレッドにトリガーマシンスプラッシュを託し「行けーーーー!!!」と叫ぶ圭一郎など、名言祭りの回だ。ちなみに、ここで圭一郎を叫ばせたのは、パトレン1号を演じるスーツアクターの高田将司。テストでこの芝居を披露したところ、杉原監督が採用し、そこに結木が気持ちを乗せてアフレコしたという。

　今回の「VS」劇場版で、魁利／ルパンレッドが圭一郎／パトレン1号に武器交換としてトリガーマシンスプラッシュを渡すところは、この回の2人のやり取りを拾って生まれたシーンだ。

■第31話　自首してきたギャングラー
（脚本：大和屋暁　監督：渡辺勝也）

　国際警察に自首してきたギャングラー。つかさは相手を信じて保護しようとするが、「お人よし過ぎるんだよ、君たちは」と取り付く島もないノエル。それは、ギャングラーにあまり入れ込むと裏切られたときにつかさが傷つくのではと案じてのことだったが……。その裏で、ギャングラーに埋め込む金庫の数を人工的に増やすゴーシュの実験が進行していた。

　刑事ドラマのお約束に則り取調べシーンで人情派刑事に扮した咲也や、ギャングラーの妄想の中でよき夫（!?）として新婚生活を営むつかさ、学生時代を謳歌するメガネで学ラン姿の圭一郎を見ることができる。また、このときのノエルの名乗りはいつもの「気高く輝く警察官」ではなく「国際警察潜入捜査官　パトレンエックス！」だった。

■第32話　決闘を申し込む
（脚本：大和屋暁　監督：渡辺勝也）

　5つの金庫を持つギャングラーを倒すためには快盗との共闘が必要だという意見を巡り、圭一郎とノエルが対立する。ノエルは快盗との協力を持ちかけるが、法を犯し市民を危険にさらす可能性のある快盗たちと組むことはできないと圭一郎が拒絶。警察と快盗の共闘が不可欠と譲らないノエルは、自らと快盗の自首を懸け、圭一郎に決闘を申し込む……。

　ノエルと圭一郎の決闘場面について、パトレン1号役の高田将司が「非常に緊迫感がある、気持ちをぶつけ合う芝居とアクションになった」とのこと。また、5つの金庫が連動して同時に解錠しないといけないという、ゴーシュが人工的に作り出したギャングラーの存在は、今回の劇場版でかなり重要なポイントとして受け継がれている。

■第33話　僕らは少年快盗団
（脚本：香村純子　監督：加藤弘之）

　ギャングラーの仕業で、知能はそのまま子供の姿になってしまったルパンレンジャーの3人。落としたVSチェンジャーを警察に拾われたため、魁利たちは迷子を装い、なんとか隙を見て取り戻そうと画策するが……。

　子供たちの正体を知らず、魁利の可愛さにメロメロのデレデレなつかさも堪能できる変則回。また、魁利に変装したり、つかさそっくりな3人の母親に扮したり、コグレが得意の（？）変装術で大活躍。ラストでは、失態を詫びるつかさと咲也に対し、一緒に始末書を書こうと言うヒルトップ管理官の人柄が偲ばれる回でもある。

■第34話　伝説の銃
（脚本：香村純子　監督：加藤弘之）

　ノエルが罠に倒れてしまったと、魁利たちに泣きついてくるグッドストライカー。昔、アルセーヌ・ルパンがお気に入りのコレクションを隠した部屋の罠にかかったらしい。その罠のヒントは「足枷を外せ」。透真の前には婚約者の彩、初美花の前には親友の詩穂が現れ、「自分の大切な人を撃って前に進めるか」を試されるが、2人はそれが幻と知りつつも消すことはできなかった。そして、魁利の前には取り戻したいと切望する兄の勝利が現れ……。

　魁利はここで、30話とは逆に圭一郎の言葉を勝利に重ねている。予告編でも流れた「俺ってやっぱ快盗向いてるわ」という魁利のセリフに胸を痛めたファンも多かったが、伊藤あさひ、浅井宏輔の両名はともに前向きな言葉と捉えて演じたとのこと。なお、この回から登場したルパンマグナムを使用する際、ルパンレッドが銃にキスをする仕草が見られる。

　ちなみに、この回に登場するギャングラーのケルベーロ・ガンガンの声は稲田徹が担当。かつて『特捜戦隊デカレンジャー』で稲田が演じたデカマスターの二つ名をなぞり、劇中で「地獄の番犬」というセリフが使われている。

■第35話　良い人、悪い人、普通の人
（脚本：香村純子　監督：杉原輝昭）

　ギャングラーの攻撃で、コグレが良い人格、悪い人格、もともとの人格と、3つに分裂してしまった。6時間以内に戻らないと命を失ってしまうという状況に魁利たちの顔色が変わり……。

　タイトルの元ネタやコグレの「ツッパることは男の勲章だ」というセリフなど、昭和感満載のコグレ回。当然、ユーモラスな内容となったが、一方で、コグレが自分には手に負えないハードな仕事を魁利たちに任せていることを心苦しく思っていること、コグレが魁利たちに毎度もたらす情報は自ら身体を張って集めていることが判明する胸熱な回でもある。

■第36話　爆弾を撃て
（脚本：金子香緒里　監督：杉原輝昭）

　ギャングラーの策略で、何をするにもうっかりミスをするようになってしまった咲也。怒りのエネルギーを吸収して強力爆弾と化す端末ネックレスを騙されて受け取り、圭一郎と自分にも着けてしまうが……。

　失敗続きで自信をなくす咲也に「誰かにほめられたいなら、まずは自分自身を信じろ」と圭一郎が激励。時間内に見事射撃を成功させる大役を果たした咲也に、「ありがとう！　お前が居てくれて本当によかった！」と手を差し伸べ笑顔を見せる圭一郎と、「最高のほめ言葉です！」と喜ぶ咲也が見られる。咲也と圭一郎の信頼関係が描かれた回。

■第37話　君が帰る場所
（脚本：香村純子　監督：中澤祥次郎）

　「強制帰宅ビーム」を操るギャングラーが出現。これを食らうと自宅に戻ってしまうやっかいな攻撃だが、なぜか魁利にだけは効果がない。いずれにせよ、このままでは戦闘にならないため、透真と初美花、そして圭一郎はそれぞれキャンプセット一式を背負っての戦闘を考えるが……。「なんで魁利にだけ効かないんだろう」と無邪気に口にする初美花と違い、透真は思い当たる節があるようだが……。

　1人だけビームの影響を受けない魁利の抱える孤独が際立つ。「あやういところがあるような気がする」と魁利を気にかける圭一郎が、魁利の領域に踏み込みすぎたことで、2人のギクシャクが始まった回でもある。

■第38話　宇宙からのコレクション
（脚本：香村純子　監督：中澤祥次郎）

　宇宙から飛来するルパンコレクション「ビクトリーストライカー」の情報を別々に手に入れた快盗と警察。そして、やって来たビクトリーストライカーは魁利たちを攻撃する。ノエルは魁利たちを援護しようとしたが、そこにデストラが出現し……。

　快盗の利益を優先していると受け取られたノエルは警察チームから距離を取られていたが、強敵デストラとの対決で追い込まれたところを駆けつけた圭一郎たちに助けられる。その際、

「君たちは本当にすばらしい警察官だ」と感慨深く口にしたノエルのセリフが印象に残る。

　また、ザミーゴが圭一郎たちの前で氷の銃とその攻撃を披露した。

■第39話　こいつに賭ける
（脚本：香村純子　監督：渡辺勝也）

　警察のデータベースからザミーゴの存在を知ったノエル。しかし魁利らは、ザミーゴの存在がルパン家に対する自分たちだけの切り札と考え、ノエルにも詳細を明かさない。一方、圭一郎たちは、目の前で凍らされて消えたギャングラーのイセロブが再び出現したことから、ザミーゴに凍らされた者が別のどこかへ転送されていることを知る。

　初美花から人間関係の悩み相談を受けた咲也が、いつもとは違う真摯な表情でアドバイスする姿が見られる。また、そのアドバイスを受けて動いた初美花をきっかけに、ノエルが魁利らの宿敵としてのザミーゴを、初美花たちはザミーゴの能力を知ることになった。この回で、魁利はザミーゴと二度目の対決を果たし、相手の動きを予知できるスーパールパンレッドが初登場。ちなみに「スーパールパンレッド」は魁利がその場で命名。

■第40話　心配が止まらない
（脚本：大和屋暁　監督：渡辺勝也）

　ギャングラーの攻撃で、極度の心配性になってしまった透真と初美花が、行き先を告げずに出かける魁利の後を追い、執拗に心配しまくることに……。

　魁利が好物を食べ過ぎて満腹になるとキツツキが飛んできて腹を突いて破裂させてしまうのではないかと妄想全開で心配する透真が、そもそもどこでそんな知識を手に入れたのかファンに心配された『ルパパト』オモシロ回ベスト3の1本。脚本は「レオタード回」と同じく大和屋暁が担当した。

　また、そんな回でありながら、37話からずっとぎこちなかった魁利と圭一郎が、ここでようやく雪解けとなり周囲をホッとさせたことも忘れてはならない。

■第41話　異世界への扉
（脚本：香村純子　監督：杉原輝昭）

　ジュレで国際警察の面々と和やかに談笑する魁利と初美花。だが透真は、自分たちのこのあとのことを考え、彼らが警察チームと仲を深めることに否定的だった。そんな中、ドグラニオに鼓舞されたデストラが幹部直々の攻撃に現れ、遭遇したつかさと透真は揃ってギャングラーの世界に飛ばされてしまう。その後もデストラは警察と快盗の面々を異世界に送り込み、魁利たちを追い詰めたかに見えたが、ザミーゴのきまぐれで異世界から戻ってきた圭一郎たちの総攻撃に遭い、その作戦は失敗に終わった。

　ザミーゴに邪魔されたことを知らず訝るデストラに対し、「お前、人望ないんだよ」と言い放つ咲也が印象的。この回で透真の銃捌きを見たつかさがうっすら疑念を抱くことになるが、透真がそのリスクを承知で窮地のつかさを見捨てず助けた理由は「あいつら（魁利と初美花）が悲しむ」から。泣ける。なお、冒頭で「実家から届いた」梅干を圭一郎が魁利の口に突っ込もうとするやりとりは、伊藤、結木両名のアドリブとのこと。

■第42話　決戦の時
（脚本：香村純子　監督：杉原輝昭）

　デストラがついにゴーシュと手を組んで魁利たちの前に出現し、ビクトリーストライカー、サイレンストライカーを強奪。その力で予知と重力を操るようになったデストラは、あまりにもやっかいな相手だ。そのため、圭一郎は快盗を、魁利は警察を利用することを思いつく。それぞれ立場も思惑も違えど、窮地に追い込まれ打つ手がないかに思える状態で互いの思考を読み、行動を考え、「あいつは絶対諦めない」「あいつは絶対立ち上がる」と思い合う魁利と圭一郎。これまで戦ってきたからこその信頼、そして身体を張ることを厭わずやり遂げようとする2人の信念によってデストラを撃破した。

　Wレッドの熱い芝居と、よろめく魁利を支えてつぶやく圭一郎の「……ズルい男だ」というセリフは。夏の劇場版『ｅｎ　ｆｉｌｍ』でのやりとりに呼応。この本作屈指の名場面は「東映特撮ファン大賞２０１９」大賞に選ばれ、記念のグッズも作られた。

■第43話　帰ってきた男
（脚本：金子香緒里　監督：中澤祥次郎）

　負傷でフランス本部に異動になっていた元パトレン2号・東雲悟が、特別任務で帰国してきた。久々の再会に喜ぶものの、ところどころ悟の言動にひっかかる圭一郎とつかさ。悟はノエルの背信行為を告げるが、それを素直に受け取ることができない圭一郎の迷い。ゴーシュからノエルは人間ではないと告げられ動揺する快盗たちだが……。

　パトレン2号の前任者・東雲悟の存在は、東映特撮ファンクラブで２０１８年夏に配信されたスピンオフ『もう一人のパトレン2号』においてすでに描かれていたが、テレビ本編にはこれが初登場。圭一郎、つかさとともにVSチェンジャーが配備される以前にギャングラーと戦っていた描写が見られた。なお、悟は圭一郎に音楽を楽しむことを教えた存在だ。また、この回に登場する少々お間抜けなギャングラー（トカゲイル・ナクシャーク）の人間態を演じているのは、ティラミーゴ（『騎士竜戦隊リュウソウジャー』）のスーツアクター・おぐらとしひろ。悟の追撃から華麗に逃げ切るノエル役・元木聖也のパルクールアクションも必見！

■第44話　見つけた真実
（脚本：金子香緒里　監督：中澤祥次郎）

　ノエルの正体は異世界人だった。孤児のノエルを拾って育ててくれた恩人アルセーヌ・ルパンの命をギャングラーに奪われ、彼を取り戻すためにルパンコレクションを集めていることを魁利たちは知る。一方、目の前でノエルに逃走された圭一郎だが、彼の裏切りを信じることができない。ノエルを裏切り者と糾弾していた悟が、実は悟の化けの皮を被ったギャングラーだった！

　「化けの皮」が人間からできていること、しかも化けの皮になった人たちは絶命しているものと告げられるショッキングな回。オープニングや回想などにも登場するアルセーヌ・ルパンを演じているのは、ルパンレッドのスーツアクターを務める浅井で、14話で警官を演じた高田とここでも好対照。

■第45話　クリスマスを楽しみに
（脚本：大和屋暁　監督：中澤祥次郎）

　咲也たちパトレンジャーが過去に助けた幼稚園児からクリスマス会に招待される。子供たちに彼らが大好きなチキン料理を食べさせたい咲也はジュレの面々にパーティの準備を頼むが、そこへチキンをすべてシャケに変える攻撃を行うギャングラーが出現、街中のクリスマス料理が鮭だらけに……!?

　名（迷）ゼリフ「クリスマスにはシャケを食え！」を観る者すべての脳裏に刷り込み、クリスマスにもかかわらず数多のファンに鮭料理を作らせたあげく、翌２０１９年には各地スーパーでサーモン特集までさせたといわれる人気ギャングラーのサーモン・シャケキスタンチンが登場。そのユニークなキャラが全般に貫かれ、戦闘場面も前回とは打って変わり緊迫感皆無。最後はなごやかに、ジュレの店員としての快盗たちと警察でクリスマス会まで開かれた……が、その裏でついに圭一郎が魁利たちルパンレンジャーの正体にたどりついてしまう重要回だ。ラスト3分ほどで魁利たちの正体に確信を持つ圭一郎と、クリスマス会で「圭ちゃん、遅いなー」と待ちわびる魁利のコントラスト……ひたすら抱腹絶倒させられた最後の最後で、観る者すべてが激しくハラハラさせられた。

■第46話　抜け出せないゲーム

（脚本：香村純子　監督：葉山康一郎）

新年早々、初詣中にギャングラーの攻撃でゲーム空間に閉じ込められてしまった魁利たち。初美花の晴れ着姿、男子たちの女装、ノエルのアクションなどでギャングラーを楽しませ、脱出を図ろうとする。一方、失踪事件がザミーゴの手によるものと考えた圭一郎は、数々の過去の出来事を照らし合わせ、ジュレの3人がルパンレンジャーだと確信。3人を警察の監視下に置くことに決定した。だが、咲也だけは初美花の無実を信じ、初美花のために頭を下げるが……。

「圭一郎先輩だって魁利くんのことを気にかけてたじゃないですか！」と詰め寄る咲也に対し、珍しく視線を外して「それとこれとは別だ」と静かに返す圭一郎の口調が印象的だ。ちなみに、快盗男子チームによる女装姿はそれぞれ演者の意見が取り入れられているとのこと。また、今回の劇場版で金庫を開けるとき、ノエルがメルトとアスナに披露したのは、この回で魁利から預けられたサイクロンダイヤルファイター。

■第47話　今の僕にできること

（脚本：香村純子　監督：渡辺勝也）

国際警察は魁利たちがルパンレンジャーであることを確信するが、咲也だけはそうではないことを証明したいと、初美花をデートに誘う。まんざらでもない様子の初美花に、これ以上警察に深入りするとあとで傷つくのは初美花だと心配する透真は、魁利と2人で彼らのデートをこっそり見張ることに。そんな最中、ギャングラーが出現。現場に駆けつけようとする魁利と透真に対し、咲也の自分を信じる想いに応えたいと懸命に訴える初美花だったが、そこにザミーゴが現れ……その願いは叶わなかった。一方、破壊される街と、ゴーシュに圧倒される圭一郎たちを救うため、ノエルは圭一郎たちに自分が異世界の人間だと明かし、ゴーシュに自分の身体を提供すると申し出る。

敵を撃破したあと、何も知らないグッドストライカーに「なあ、ノエルは？　どこにいるんだ？」と尋ねられ、絞り出すように謝る圭一郎の苦渋に満ちた声がつらい。

■第48話　仮面の下の素顔

（脚本：香村純子　監督：渡辺勝也）

ノエルを手中に収めたゴーシュが、全世界に対してノエルの公開処刑を告げた！　パトレンジャーたちは救出に向かうが、ドグラニオたちの前に力及ばず蹴散らされてしまう。駆けつけたルパンレンジャーたちに、ドグラニオから「ちゃーんと顔を見せてくれよ」というリクエストが……。ノエルを救うため、ルパンレンジャーは圭一郎たちの前でついにマスクを外した。その姿は全世界に中継され……。

初美花の正体を知った咲也が、ルパンイエローに話しかけられて振り向くことができないままの場面が胸に痛い。ここで初めて圭一郎よりルパンレンジャーに協力が要請された。

■第49話　快盗として、警察として

（脚本：香村純子　監督：杉原輝昭）

正体を晒された魁利たちが新しい隠れ家で今後の作戦を練る中、ドグラニオが姿を現し巨大化。その攻撃で市中は壊滅状態に追い込まれる。

いつも魁利と出会っていた公園のベンチで、葛藤を抱える圭一郎の前に現れた魁利が圭一郎の胸倉を掴み激情をぶつける場面。このときの2人の距離感などはすべて役者にお任せだったとのこと。警察を辞めて魁利を助けたいと言いながらも警官としての立場に揺れる圭一郎の背中を押す魁利の指が3本なのは、「アデュー」の意味を込めた伊藤あさひのこだわりによるものだ。

■第50話　永遠にアデュー

（脚本：香村純子　監督：杉原輝昭）

単身でザミーゴと戦い追い詰められた魁利。だが、その窮地に重体で入院していたはずの透真と初美花が駆けつけ、反撃に転じる。そこにパトレンジャーと戦っていたドグラニオが現れ……誰にも邪魔されず決着をつけるべく、ザミーゴは自らドグラニオの金庫の中に入り、入ったが最後、出てこられなくなるのを承知でルパンレンジャーたちもそのあとを追った……。

大怪我を負い警察に保護されていた透真と初美花の心中を察し、VSチェンジャーとダイヤルファイターを返してしまうつかさと咲也は、今回の劇場版でリュウソウケンを持ったトワの言う「話せばわかるよ、このおまわりさんたちは」に重なる。そして、ドグラニオの絶対開かない金庫に入っていった魁利たちと、その後の世界の平和を頼まれた圭一郎たち――ドグラニオを魁利たちのいる金庫ごと撃破するのか、それとも……というシチュエーションを見れば、今回の劇場版であれほど躍起になってギャングラーを抑え、「我々が盾になる!」と言い切ったパトレン側の必死さの理由がひとつわかるかもしれない。

■最終話　きっと、また逢える

（脚本：香村純子　監督：杉原輝昭）

金庫の中の魁利たちがコレクション台帳を使って、ドグラニオのルパンコレクションをルパン家の宝物庫に転送。力を失ったドグラニオをパトレンジャーとノエルが捕縛し、ついに戦いは終わった。それから1年、ルパンレンジャーは依然、ドグラニオの金庫の中から出られずにいたが……魁利の兄・勝利、透真の恋人・彩、初美花の親友・志保が新たなるルパンレンジャーとして動き、その結果、魁利たちを救った。そして、再びギャングラー犯罪の現場で出会う快盗と警察たち。まだ、それぞれの戦いは終わらない――。

力を失ったドグラニオにトドメを刺すのかそれとも……葛藤する圭一郎を渾身の芝居で演じた結木、マスクの下で涙を流していたという高田、2人の熱さが画面を通して観る者の胸を打つ。ラストの乱闘は、それぞれ第1話のカジノの場面を彷彿とさせるように描かれている。1年を経てたどり着いたこの場面は、もう何度でも見てほしい。ここに出てくるのは「あの日よもう一度」という名のルパンコレクション。

■シアターGロッソ公演

2018年3月～2019年3月まで東京ドームシティ内のシアターGロッソで「もうひとつのルパパト」＝ヒーローショーが行われた。春先あたりに発生した圭一郎人気を受け、第2弾くらいから大人の女性ファンが客席に多く見られるようになる。

第2弾は互いの信念を信頼しあうWレッド同士の熱いやりとりやイエローと3号の貸し借りなしのやり取り、第3弾はノエル登場とはぐれギャングラーに見せる対応など、ストーリーや演出の評判もよく、夏休みに入る前から毎週ほぼ満席に近い人気公演となった。

第4弾は、途中から恒例「素顔の戦士」と題しテレビキャストの役者たちが出演。前売りのチケットがほぼ完売で、何度も観たいのに入れないという事態に。もちろんキャスト人気もさることながら、劇中でギャングラーが景気づけに歌う歌が毎回違うなど、ステージ全体で客席を盛り上げた。

続く第5弾公演は、少々ユーモラスな演出もあった第4弾とはがらりと様相を変え、テレビ本編の展開を拾いザミーゴが登場。魁利以外の登場人物が氷漬けにされるシリアスな場面も見られた。そして、魁利が客席の子供たちに応援を要請するのも今回の大きなポイント。仲間を氷漬けから解放すべく、子供たちに必死に声を掛ける展開は胸熱である。この公演中に取材された「出演!! アド街ック天国」（テレビ東京）で、ショーの一部が放送され、テレビキャストに熱狂する客席の声や、ステージ上でキャラクターが最上段から奈落に美しく跳んだり、ワイヤーや段差を使った本格的アクションが紹介され話題を呼んだ。

■ファイナルライブツアー

静岡、浜松、名古屋、札幌、仙台、広島、福岡、大阪の計8箇所を回った「快盗戦隊ルパンレンジャーVS警察戦隊パトレンジャー　ファイナルライブツアー2019」。ヒーローショーとトークショーの二部構成のうち、ショーの脚本をテレビシリーズのメインライター・香村純子が執筆し、ルパンレンジャーたちは解放され、ドグラニオは拘束されたままの状況から始まるもうひとつのルパパトアナザーストーリー的展開の物語が描かれた。

香村によると、ここではスーパールパンブルーとスーパーパトレン3号を見せたかったとのこと。ちなみに、ここに及んで初めて、ルパンレッドがグッドストライカーの力で3人に分身することを圭一郎の前で明かしている。千秋楽の大阪公演がDVDや東映特撮ファンクラブの配信で視聴可能。本誌のトリプルレッド取材でも語られた、涙するメンバーたちも映像に納められているので必見。

■Vシネクスト『ルパンレンジャーVSパトレンジャーVSキュウレンジャー』

（脚本：荒川稔久　監督：加藤弘之）

『ルパパト』が前作『キュウレンジャー』とクロスオーバーを果たした「VS」作品。2019年5月からの限定上映を経て、同年8月にBlu-ray&DVDをリリース。

圭一郎／パトレン1号とラッキー／シシレッドの新旧レッド遭遇を発端に、快盗&怪盗繋がりでルパンレンジャーとBN団の組み合わせなど、総勢27名におよぶヒーローたちの競演と共闘が描かれた。

人が輝く時、
そこに奇跡が生まれる……
魔進戦隊キラメイジャー

相棒の魔進たちと絆を結び、
煌めきの世界へ飛び出せ……！

キラメイレッド

熱田充瑠（あつた・じゅうる）

［演：小宮璃央
スーツアクト：伊藤茂騎］

普段は特に輝きを感じない地味目の男子高校生だが、大好きな絵を描き始めると尋常ならざる集中力を発揮。その類まれな想像力＝無限大のキラメンタルで、キラメイジャーの攻撃を「創造」する。相棒は魔進ファイヤ（声：鈴村健一）。

キラメイグリーン

速見瀬奈（はやみ・せな）

［演：新條由芽
スーツアクト：五味涼子］

100m走の日本記録を更新した陸上界の彗星。戦闘時は高速攻撃で敵を翻弄するスピードスターだ。MAXスピードを発揮すると、あまりの速さで周りの敵が止まっているように見える。相棒は魔進マッハ（声：赤羽根健治）。

キラメイイエロー

射水為朝（いみず・ためとも）

［演：木原瑠生
スーツアクト：蔦宗正人］

eスポーツ界でその名を知られるシューティングゲーム部門の賞金ランキング1位。持ち前の正確無比な射撃テクニックを武器に戦う。その技術は努力の賜物で、努力できる天才。相棒は魔進ショベロー（声:岩田光央）。

魔進戦隊キラメイジャー START GUIDE

キラメイジャーが揃ったら

**ついに放送がスタートした新番組『魔進戦隊キラメイジャー』。
第1話の前日譚を描いた映画『エピソードZERO』公開から、テレビシリーズの滑り出しまで、そのキラキラ輝く魅力に迫る！**

博多南無鈴
（はかたみなみ・むりょう）
［演：古坂大魔王］
地球に逃れてきたマブシーナに協力するCARAT（カラット）を設立した、キラメイジャーのスーパーバイザー。キラメイストーンの力を利用して、その資金力と技術力でキラメジャーの様々な装備・武器を開発する。

キラメイピンク
大治小夜（おおはる・さよ）
［演：工藤美桜
スーツアクト：下園愛弓］
海外で若くして医師免許を取得した、美人すぎる外科医。合気道の達人で格闘スキルが高く、包容力抜群で面倒見がいいチームの精神的支柱。笑顔のまま毒を吐くダークな一面も。相棒は魔進ヘリコ（声：長久友紀）。

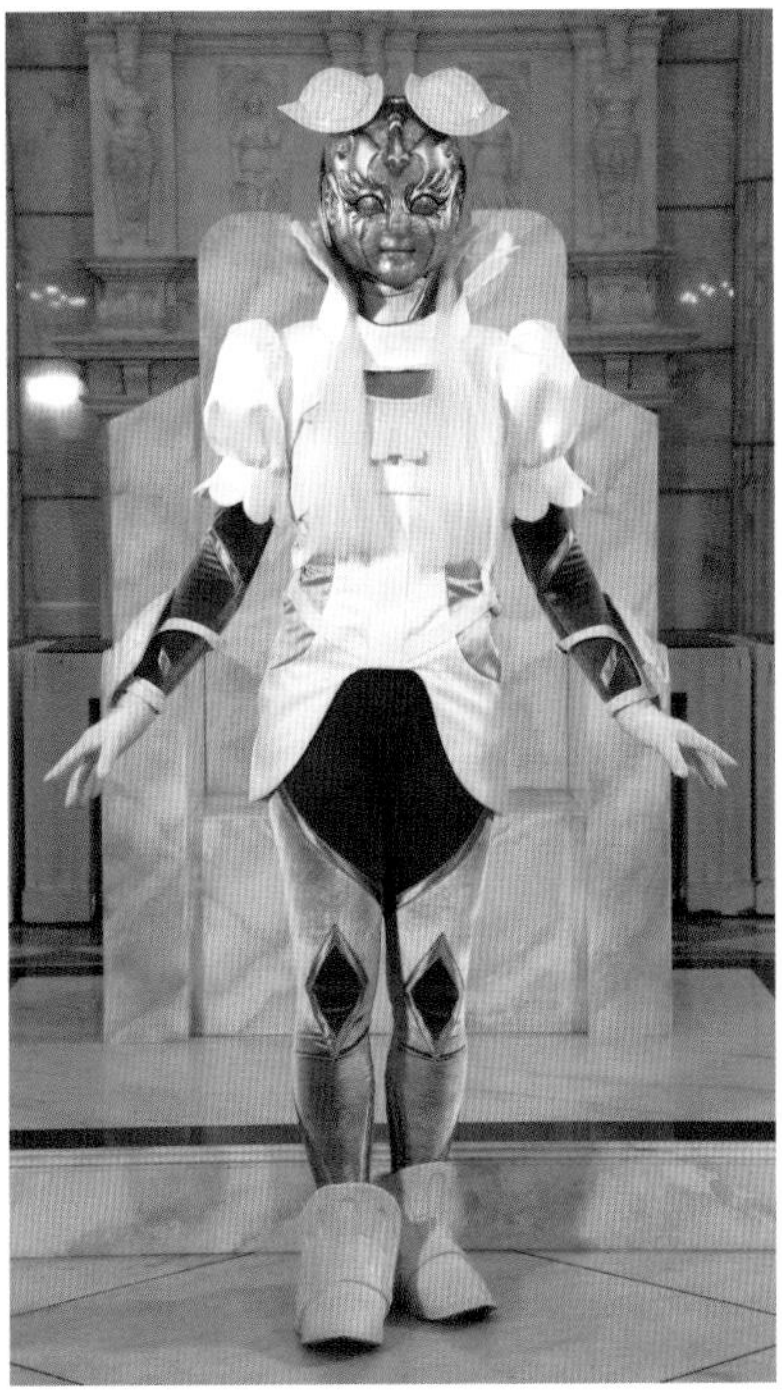

キラメイブルー
押切時雨（おしきり・しぐる）
［演：水石亜飛夢
スーツアクト：竹内康博］
大人気イケメンアクション俳優として活躍。剣道五段の腕前を持ち、かつ頭脳明晰な文武両道のマルチプレーヤーだ。戦闘時は強烈な剣撃を放つ。常に冷静で頼りになるが、お茶目で愉快な一面も。相棒は魔進ジェッタ（声：大河元気）。

マブシーナ
［声：水瀬いのり　スーツアクト：野川瑞穂］
叔父のガルザに父・オラディンを殺されたクリスタリアの姫。地球に落ち延び、博多南無鈴の協力を得てキラメイジャーにふさわしいメンバーを集め、ヨドン軍の地球侵攻に立ち向かう。

「スーパー戦隊MOVIEパーティー」の枠組みで、『劇場版　騎士竜戦隊リュウソウジャーVSルパンレンジャーVSパトレンジャー』とともに公開された『魔進戦隊キラメイジャー　エピソードZERO』。レッドを除く4名がキラメイジャーになるプロセスを、テレビの放映開始に先行して映画で描く新たな試みで、スーパー戦隊シリーズ第44作『魔進戦隊キラメイジャー』は幕を開けた。eスポーツ界のスター・射水為朝（いみず・ためとも）、女子陸上界の彗星・速見瀬奈（はやみ・せな）、イケメンアクション俳優・押切時雨（おしきり・しぐる）、美人すぎる外科医・大治小夜（おおはる・さよ）と、様々な世界で輝きを放つ優れたキラメンタルの持ち主が集い、地球を守るべく戦士の道を歩き出した。そして、残る最後の1人は……。

　ついに始まったテレビ第1話で、ヨドン軍が邪面獣・ジャグチヒルドンを放ち地球侵攻を開始した中、キラメイレッドに選ばれたのは、絵を描くことが大好きなイマイチ冴えない高校生・熱田充瑠（あつた・じゅうる）だ。相棒のレッドキラメイストーン曰く、「なんだかわかんねえが、お前はたぶんキラキラしてんだ！」――そのキラキラの正体は、無限大の創造力だった。イメージしたことを具現化する充瑠のキラメンタルでキ

右：キラメイジャーの相棒を務める魔進たち（上段左から、魔進ヘリコ、魔進ジェッタ、下段左から、魔進ショベロー、魔進ファイヤ、魔進マッハ）。彼らが全合体した巨大ロボット＝キラメイジンで、ヨドン軍の送り込む「邪面獣」に立ち向かう！

上：クリスタリア王国を裏切った卑劣極まりないヨドン軍の幹部・ガルザ（右）と、「邪面」を作り「邪面師」を繰り出す作戦参謀のクランチュラ（左）。それぞれ、中村悠一と高戸靖広が声を担当。また、弟のガルザに命を奪われたクリスタリアの王オラディンの声は杉田智和が演じている。／左：ヨドン軍の尖兵として作戦行動を行う「邪面師」の1人・ラグビー邪面。

ラメイストーンたちが魔進に変化し、キラメイソードとキラメイシヨットは合体武器キラメイバスターに！ メンバーが全員揃い進化を遂げたキラメイジャーが、力を合わせ戦う姿を怒涛の勢いで描いた第1話は、視聴者のハートを鷲掴み。『キラメイジャー』は、まさに掴みはオッケーの好スタートを切ったのである。

続く第2話では、いきなりキラメイジャーのリーダーに指名された充瑠が、戦いを通じてメンバーからの信頼を勝ち取るドラマを展開。魔進ファイヤ＆ショベロー＆マッハでランドメイジ、ジェッタ＆ヘリコでスカイメイジに合体し、邪面獣とバトルを繰り広げ、新たなフェーズに進んだ。また、この回で等身大怪人＝邪面師が登場。ラグビー邪面とベチャット（戦闘員）が、ボール爆弾で遊園地の通行人を相手に一方的にラグビーを行い、遊具にトライを決めてボールを爆発させる地獄ラグビーも重要なポイントだ。怪人の特性を活かした敵のナンセンスな作戦行動は、テンションMAXの巨大戦と並んでスーパー戦隊の面白さのキモ。悪に魅力があればこそ、ヒーローの魅力が際立つのは道理だ。

ということで、いろんな締めつけに健気に耐えて暮らす人々の顔を最強の締めつけで醜く歪ませるマンリキ邪面が登場した第3話。頭に万力をはめられてしまった時

第2話より、魔進ファイヤ、魔進ショベロー、魔進マッハが合体したランドメイジが、ラグビー邪面の出現させた邪面獣ラガーリガニーを撃破！

キラキラ輝くヒーロー&魔進が、煌めく正義の力で卑劣な巨悪の脅威を断つ!!

雨が、痛みに苦しみながらも「男のやせ我慢」を貫く中、充瑠のひらめきでキラメイジャーが窮地を脱し、邪面獣マンリキシェルガとの巨大戦ではついに5体合体＝キラメイジンが初登場！ さらに続く第4話は、マブシーナの前に父親の仇にしてヨドン軍の幹部ガルザが姿を現し……『キラメイジャー』の勢いと面白さにまったく止まる気配が見られない。

これは、スーパー戦隊を知り尽くし、王道の中に新たな面白さを打ち出すべく奮闘するスタッフ陣の、充瑠のごときキラメンタル＝創造力がなせる業だろう。これから1年、視聴者の心を踊らせる「ひらめキーング！」の連続と、キラメイジャーの激闘に心の底から期待するべし！

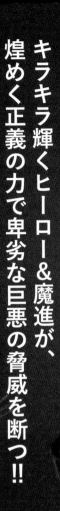

度だって立ち上がる。

がれてゆくレッドの熱い魂————!!!!

君の「がんばれ」で何

時を超え、困難を打ち払い、受け継

「トリプルレッドが出会ったら スーパー戦隊MOVIEパーティー レッツパーティーブック」をお買い上げいただきありがとうございます。
この本を読んでのご意見、ご感想など下記住所「編集部」宛までお寄せください。

リブレ公式サイトで、本書のアンケートを受け付けております。
サイトにアクセスし、TOPページの「アンケート」から該当アンケートを選択してください。ご協力お待ちしております。

「リブレ公式サイト」https://libre-inc.co.jp

トリプルレッドが出会ったら スーパー戦隊MOVIEパーティー レッツパーティーブック

発行日　2020 年 4 月 10 日　第1刷発行

発行者　太田歳子
発行所　株式会社リブレ
〒162-0825 東京都新宿区神楽坂 6-46　ローベル神楽坂ビル
電話 03-3235-7405（営業）　03-3235-0317（編集）　FAX 03-3235-0342（営業）
印刷所　三共グラフィック株式会社
装丁・本文デザイン　上田由樹（リブレデザイン室）／本文デザイン　加藤寛之
カメラマン　真下 裕（Studio WINDS）
ライター　嶌谷五郎／齋藤貴義／山田幸彦

・・・
協力
株式会社研音／株式会社スターダストプロモーション
株式会社トライストーン・エンタテイメント
・・・
監修　東映株式会社
監修協力　北村萌香／松石 航／土井健生（東映株式会社）

編集協力　高木晃彦（noNPolicy）／企画編集　リブレ編集部

Printed in Japan
ISBN 978-4-7997-4788-9

C O N T E N T S